世界の豆探訪記

豆くう人々

べにや長谷川商店
長谷川 清美

農文協

大豆

ダイズ属。日本で通常よく見かけるのは黄大豆だが、種皮の色には黒、青（緑）、紅などもある

[1-1]

[1-2]

[1-3]

[1-4]

[1-5]

[1-6]

[1-7]

[1-8]

1-1 黒大豆。皮は黒いが中は緑色（中国河北省石家荘市）→p.232／1-2 5ミリほどの大きさで、納豆にする。ミャンマーの豆は全般に小さめ（ミャンマー）→p.248／1-3 ツルマメの豆と莢。大豆の野生種で、豆は1ミリほどの大きさしかない（日本）／1-4 黄大豆（日本）*／1-5 青大豆（日本）*／1-6 黒大豆（日本）*／1-7 紅大豆®。山形県川西町の在来種（日本）*／1-8 鞍掛豆（日本）*

＊がついている豆は、べにや長谷川商店で扱っています。

いんげん豆

インゲンマメ属。種皮の色が白、赤紫、黒、うずら模様の斑紋入りなどバリエーション豊富

〔2-1〕

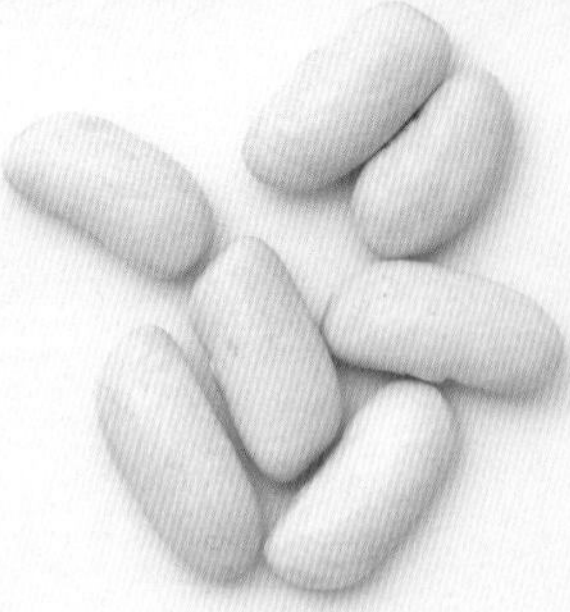

〔2-2〕

〔2-3〕

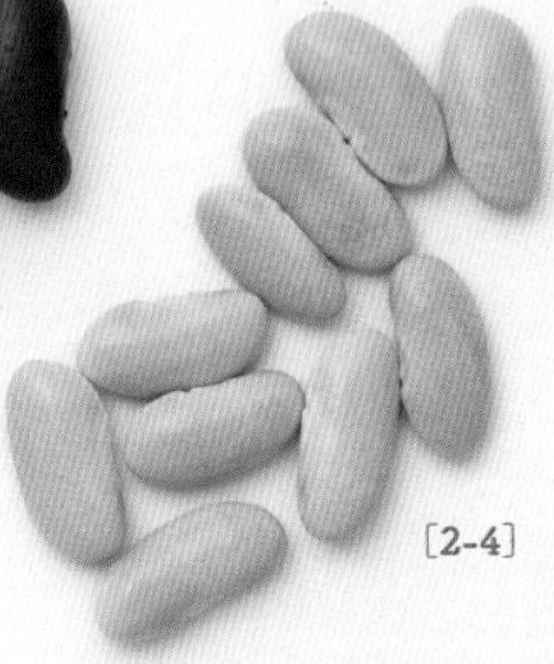

〔2-4〕

〔2-7〕

〔2-5〕

〔2-6〕

2-1 黒いんげん豆（メキシコ）→p.18 ／ **2-2** 白いんげん豆。フェイジャオ用によく使われる（ブラジル）→p.30 ／ **2-3** 赤いんげん豆、うずら模様のいんげん豆（ベネズエラ） ／ **2-4** 緑いんげん豆（スペイン） ／ **2-5** 斑紋が種皮全体に及ぶいんげん豆（メキシコ） ／ **2-6** 斑紋が種皮全体に及ぶもの、一部にとどまるものが混在するいんげん豆（キルギス）→p.201 ／ **2-7** 斑紋が一部にとどまるいんげん豆。日本では虎豆がある（メキシコ）

ベニバナインゲン

インゲンマメ属。日本では白花豆、紫花豆などがある、大粒の豆

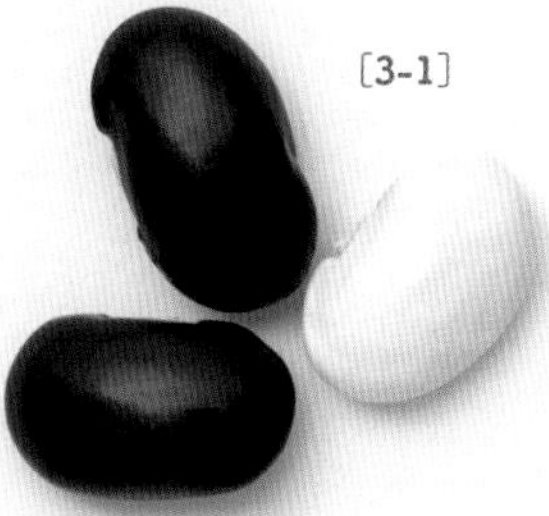

［3-1］

［3-2］

［3-3］

リマ豆

インゲンマメ属。小粒種（ベビーリマ）と大粒種があり、別名ぺちゃ豆とも呼ばれる平たい姿が特徴

［3-4］

［3-5］

［3-6］

［3-7］

［**ベニバナインゲン**］ **3-1** マプーチェ族が自家採種していたもの（チリ）→p.55／**3-2** 同じ豆でも斑紋があったりなかったりする（メキシコ）
［**リマ豆**］ **3-3** リマ豆3種。種皮に筋模様の入った姿は日本では珍しい（コロンビア）／**3-4** ゲーム用にも使われているリマ豆（エクアドル）→p.90／**3-5** 黒の斑入りのベビーリマと莢（ベネズエラ）／**3-6**&**3-7** 斑入りのベビーリマ2種（メキシコ）

ささげ、小豆、緑豆など

サザゲ属。日本では小豆がよく知られるが、世界ではささげがよく食べられている

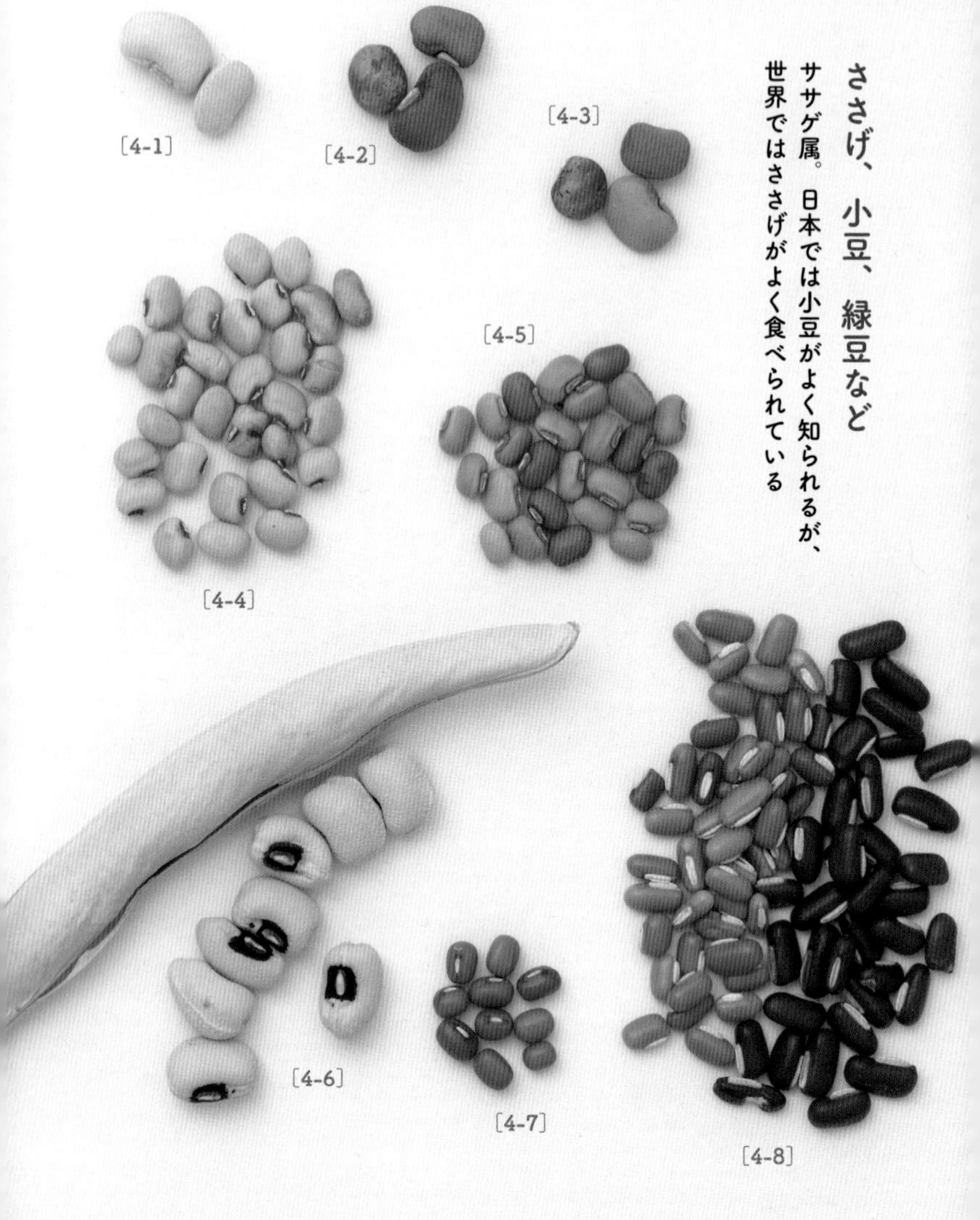

4-1&4-2&4-3 多種多様な在来ささげ（ナイジェリア）→p.135／4-4 フェイジャオにもよく使われるささげ（ブラジル）→p.30／4-5 自給用と家畜の餌用のささげ（オマーン）→p.173／4-6 ささげの豆と莢。へその周囲が黒い「ブラック・アイド・ピーズ」（ウズベキスタン）→p.187／4-7 緑豆（キルギス）／4-8 赤と緑のツルアズキ。英名ライスビーン、竹小豆とも呼ばれる(中国)→p.232

そら豆

ソラマメ属。乾燥させて使われることが多い。
蚕豆などの別名もある

［5-1］

［5-2］

［5-3］

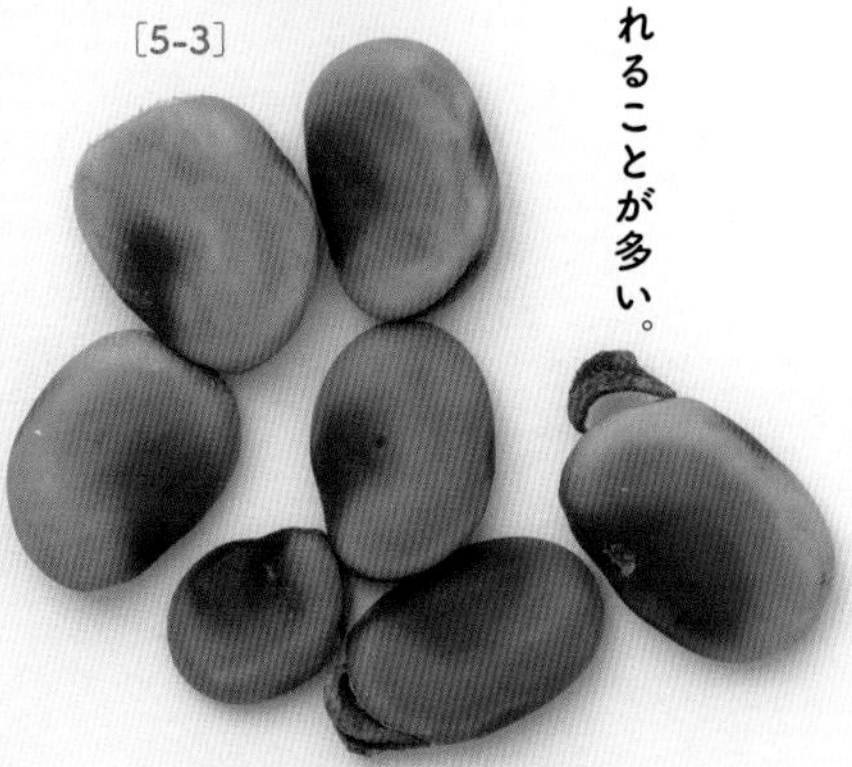

えんどう豆

エンドウ属。熟す前の状態のグリーンピース、
熟して収穫した赤えんどう、白えんどうなどがある

［5-4］

［5-5］

［そら豆］ 5-1 巨大なそら豆（ボリビア）／5-2 黒いそら豆（オマーン）／5-3 ローストしたような見た目のそら豆（ボリビア）

［えんどう豆］ 5-4 四角い形のえんどう豆（アゼルバイジャン）／5-5 挽き割りえんどう豆のロースト。豆のスナック「コロ」などにする（エチオピア）→p.125

変わり種の豆

日本ではあまり見かけない豆たち。用途もさまざま

6-1 樹豆。若い豆はトウモロコシ粉の蒸し物「タマル」にする（ホンジュラス）→p.107／6-2 樹豆の豆と莢。自家採種のためか豆が小さい（パラグアイ）→p.47／6-3 斑模様の樹豆（ミャンマー）／6-4 緑肥用のフジマメ。白いツノのようなものがあるのが特徴（ブラジル）／6-5 フジマメの一種「フォナ(生命豆)」。この豆の名を冠したお祭りもある（台湾）→p.257／6-6 ムクナ豆＆6-7 ナタマメの豆と莢。炒って粉にし、コーヒーにして飲む（ホンジュラス）→p.107

7-1 いなご豆の莢。豆はほんのり甘くシロップにもする（トルコ）／**7-2** ワイルーロ。食用ではなくアクセサリーなどに使われる（コロンビア）／**7-3** 莢付きのバンバラビーン（モザンビーク）／**7-4** 莢をむいたバンバラビーン（ニジェール）／**7-5** ルピナス。「タルウィ」と呼ばれ、アクが強いので水にさらしてから食べる（ペルー）→p.39／**7-6** ルピナス。ヨーロッパのものはアクが少なく、ビールのおつまみによく食べる（ポルトガル）

ひよこ豆

ヒヨコマメ属。小粒種のデシ型、大粒種のカブリ型がある。
日本で流通しているのはカブリ型が多い

［8-1］

［8-2］

［8-3］

レンズ豆

ヒラマメ属。レンティルとも呼ばれる。
凸レンズのような扁平な形が特徴

［8-4］

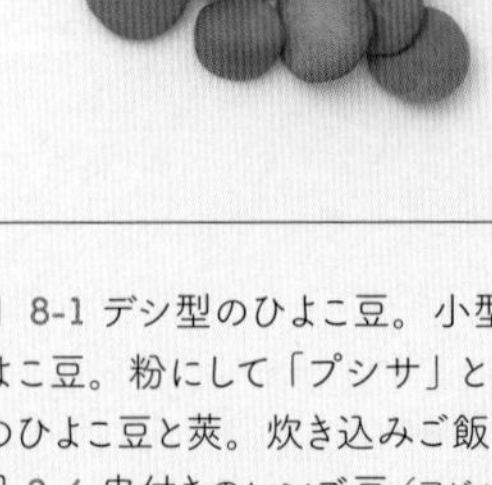

［8-5］

［8-6］

［ひよこ豆］ 8-1 デシ型のひよこ豆。小型でゴツゴツして尖っている（ミャンマー）／8-2 カブリ型のひよこ豆。粉にして「プシサ」というドリンクなどにする（チュニジア）→p.151／8-3 カブリ型のひよこ豆と莢。炊き込みご飯「プロフ」に（ウズベキスタン）→p.187
［レンズ豆］ 8-4 皮付きのレンズ豆（アゼルバイジャン）／8-5 皮をむいたレンズ豆（アゼルバイジャン）／8-6 皮付きのレンズ豆（チュニジア）

はじめに

「たかが豆、されど豆」。いつも思う。

世界のいたるところで、内助の功のごとくつつましやかに一家を支える、縁の下の力持ち。豆は本来、そんな位置付けの食べものだ。

わたしは北海道の遠軽にある豆専門店「べにや長谷川商店」の長女として生まれ、日本の在来豆とその郷土料理を広く知ってもらうことをテーマに、活動を続けてきた。それが高じて、世界中の「豆くう人々」を訪れる旅を約10年にわたり続けている。

本書は２０１２〜２０１９年までの間に、在来豆を「つくり」「育て」「食べている」人たちを探して世界66カ国を取材した記録から、約30の国・地域のエピソードを厳選してまとめた（２７０ページ、「巻末付録１・訪問国一覧」参照）。世界のそこここで、市井の人々が豆を愛し、豆くう日常に迫り、ともに食べ、語り、笑い、時に闘った、わたしの疾走グラフィティ。そんな感じだろうか。

旅の道中はドタバタあり失態ありと、悲喜こもごも。本書に収めきれず泣く泣く落としたエピソードも、実はまだたくさんある。取材ではできうる限り、在来豆をつくり継ぐ農家を訪問することを心がけたが、彼らとの取材を成立させるまでの経緯は、語り出すと止まらなくなるので別の機会に譲る。

各国では、家庭の台所におじゃまして「ふだん食べている豆料理はなんですか?」と質問攻めにしながら、日常の料理をつくってもらった。本文中の「Cooking」のところで、70点の料理について、ごく簡単にだがつくる様子をまとめている。

「豆くう人々」の当たり前の日常は、わたしにとって当たり前ではなかった。

「人々は豆を、どう育て、どう食べているのか?」「豆は、人々にとってどのくらい必要で、あるいは要らないものなのか?」「豆くう人々の生活は、豆くわない人々の生活とどう違うのか?」……そんな検証しようのない「問い」が旅の発端といえば、そうなるだろう。

豆を煮、食べる。そして翌日もまた豆を煮、食べる、その繰り返し。手間がかかるとか、面倒くさいなんてことは、そもそも彼らには、ない。ただひたすら「生きるために豆をくう」。世界各地でこうした「食べること」の原点を見せつけられ、底抜けに明るく屈託ない笑顔で生きる彼らのパワーに圧倒され続けたが、彼らのこしらえる素朴な豆料理の美味しさには、何度も救われたものだ。

現在もつくり継がれる豆たち、バイタリティあふれる豆くう人びと、そして経験に裏打ちされた豊かな知恵の数々は、ほんとうに国宝級である。彼らと豆との付き合い方にふれていただき、ほんの少しでもいまを生きる糧にしてもらえたら、著者冥利に尽きることこの上ない。

それでは、世界の「豆くう人々」への旅をはじめよう。

目次

東アフリカ編

西アフリカ編

北アフリカ編

中東編

中央アジア・欧州編

東欧編

アジア編

中南米編

コロンビア

在来豆は誰のため？　チャチャフルッタ料理とCIAT訪問で考えたこと

コロンビアを選んだ理由とは

豆取材の皮切りの国として、なぜコロンビアを選んだのかといえば、ひとつは「CIAT（Centro Internacional de Agricultura Tropical；国際熱帯農業センター）」という、いんげん豆の保有数が世界最大とされる研究機関を訪問するためだった。コロンビアを起点に中南米諸国を制覇する！　という一大計画を着々と進行させるべく、10年に及ぶ歳月をかけてその願いを実現させていくことになる。

さらに中南米は、世界有数の豆を食べる国々でもある。ただし同じ豆は豆でも、国や地域で好まれる種類は（色、柄の好みも含めて）異なっていて、ここコロンビアでは、大半が「赤いんげん豆」か、「カルガマント」という赤紫に斑模様が斜めに入ったいんげん豆がメイン。それに対してキューバ、ホン

研究所CIATでは、遺伝資源の豆をレトルト真空パックで貯蔵

基本情報

首都 ボゴタ

主要産業
農業（コーヒー、バナナ、さとうきび、じゃがいも、米、熱帯果実など）、鉱業（石油、石炭、金、エメラルドなど）

言語 スペイン語

通貨 ペソ

訪れた場所 ボゴタ、カリなど

旅した期間
2013年3月8〜、4月7日
2014年8月13〜18日
2015年9月11〜17日
2016年7月20〜29日
2017年8月30〜9月7日

出会った豆
樹豆（グァンドール）、チャチャフルッタ、いんげん豆、花豆、リマ豆など

ジュラス、グアテマラ、コスタリカなどのカリブ海諸国、そしてメキシコ、ベネズエラでは「黒いんげん豆」が主流となる。また、アンデスの先住民たちは「タルウィ（食用ルピナス、ペルーで詳述）」を食べる例もあるので、各国の歴史と豆食の文化との密接な結びつきにも着目した。

取材をするなかで見えてきた「豆と人」「豆と暮らし」が織りなす食文化についても折々、記していきたい。

グァンドール（樹豆）との出会い

コロンビアの首都ボゴタに、植物学者ルイス・エンリッケ・アセロ・ドゥアルテ（Luis Enrique Acero Duarte）を訪ねた。妻のレオノール（Leonor Rodriguez Montenegro）、娘のカミラ（Maria Kamila）も一緒に、自宅でインタビューに応じてくれた。エンリッケ夫妻は「モガンボ（スワヒリ語で〝情熱〟の意味）」という会社を経営している。先住民や小農が伝統的に食べている食品の研究・普及を事業内容とし、エンリッケは『Árboles, gentes y costumbres（木と人間と風習）』という本も上梓している。わたしの自己紹介と取材の趣旨を話したのち、本題の豆について聞いていった。

まず「グァンドール（Guandul、樹豆）」。カリブ海諸国では「グァンドール・ドゥルセ」という、砂糖を入れて煮込んだ甘い煮豆が伝統的に食べられている、という。甘く煮た豆を食べる習慣を海外で聞くのは珍しいので、印象に残った。また豚肉と一緒に煮込んだスープ、煮豆をつぶしてココナッツミルクを加えたドリンクもあるらしい。グァンドールにはこのあと、パラグアイ、ベネズエラ、キューバ、エクアドル、コスタリカなどでも出会うことになる。

「貧乏人のじゃがいも」、チャチャフルッタ

次に教えてもらったのが「チャチャフルッタ」だ。別名「バルイ（Baluy）」とも呼ばれ、莢の長さ20〜30センチ、豆粒の大きさ4〜5センチという巨大なもの。グァンドールと同じように樹に実をつける。もともとコーヒー農園での混植作物で家畜の餌にしていたが、タンパク質含量が23〜27％と高いことから、１９６０年頃までは、首都ボゴタより北へ50キロ行ったクンディナマルカのコーヒー農園の農民は、タンパク源としてこの豆を茹でて食べていたそうだ。また先住民たちは、豆に含まれるえぐみ成分のアルカロイドを薬として賢く利用していたという。しかしその来歴ゆえに「農民の食べ物」というイメージがつきまとい、別名「貧乏人のじゃがいも」と呼ばれ、広く市民権を得ることなく今に至ったそうだ。

そんなチャチャフルッタの価値を再評価したエンリッケ夫妻は、その普及活動を始める。ルイスは

考えた。もともとコーヒー農園の自家用作物だったので、まず農民に食べてもらうことが先決だ。

そこでまず本家本元のコーヒー連盟に、チャチャフルッタ利用のプロモーションを試みる。妻のレオノールが52種類ものレシピを考案し食べ方の幅を広げる一方、夫のルイスはチャチャフルッタ生産連盟を組織し、生産者を開拓していった。その甲斐あって、当初3ヘクタールしかなかった栽培面積を、20ヘクタールにまで増やすことができたという。さらに家庭料理に浸透させるべく、カウカ地方の婦人団体にアプローチするなど、地に足のついたマーケティングを展開している。

チャチャフルッタ料理への情熱

52種類ものレシピを考案したという妻のレオノールに、簡単にできるチャチャフルッタ料理をつくってもらうことにした。

Cooking

塩茹でチャチャフルッタのギソソースがけ

長く青い莢を開けると、大きな濃茶の実が出てきた。豆粒の茶色い外皮は苦いので取り除く。皮をむいた白い実（ぱっと見、にんにくによく似ている）を30分塩茹でする。茹で汁にはアルカロイドが含まれていてえぐいので、2〜3回、取り換える。

豆を茹でている間に、豆にかけるギソ（スクランブルエッグやアレッパ、焼肉などにかけるトマトソース）をつくる。生のトマトを細かく、さいの目に切り、玉ねぎのみじん切り、塩を加え混ぜるだけ。
茹で上がった豆に、このギソをかけて食べる。

これは昔、コーヒー農園の農民が食べていた料理だという。チャチャフルッタのポクポクした食感が、そら豆や白花豆に似ている。やっかいなえぐみは茹で汁を取り換えているためか、さほど気にならない。

Cooking

チャチャフルッタの素揚げ

若い豆を莢から出して皮を剥き、そのまま素揚げするだけ。ポクポク感が茹でたときよりもアップするうえ、油の旨味が加わり、まるでフレンチフライのようだった。

Cooking

チャチャフルッタのパンケーキ

小麦粉の倍量のチャチャフルッタを茹でてマッシュし、小麦粉、卵、バター、チーズ、砂糖、ベーキングパウダーと混ぜて焼く。どっしりした仕上がりで腹もちがよく、朝食にもぴったり。

Cooking

チャチャフルッタ入りスムージー

フルーツの種類が豊富なコロンビアでは、人々はたいてい朝食に100%ストレートのフルーツジュースを飲む。ここに茹でたチャチャフルッタ、水や牛乳を加えてミキサーにかける。フルーツのビタミン×チャチャフルッタのタンパク質で、忙しい朝にも手っ取り早く栄誉補給できるレシピ。

レオノールは、娘の離乳食にもチャチャフルッタを食べさせていたというから、力の入れようたるや、すごい。チャチャフルッタへの並々ならぬ愛と情熱に圧倒されっぱなしの一日だった。

上／大きな莢に大きな実をつけるチャチャフルッタ。外側の茶色い皮は苦いので取り除く　下／チャチャフルッタのパンケーキ。どっしりヘビーだが美味

豆研究の総本山、ＣＩＡＴで考えたこと

コロンビアの都市カリに本部を置くＣＩＡＴは、発展途上国の貧困と飢餓を減らし、持続的な農業の推進と、その担い手である小農の支援をする国際研究機関だ。インタビューに応じてくれたスティーブ・ベーベ博士によれば、コロンビアの在来種や野生種の豆は、北部の海岸沿いに残っているが、やっかいなことにその辺りは治安が悪いので入れないと嘆いていた。話を聞けたのは1時間と短かったが、研究所所蔵の豆を管理する担当者のルイスにつないでくれ、さらに近隣の国にいる研究者の連絡先も快く教えてくれた。

ルイスに豆の保管場所を案内してもらう。すごい！　いんげん豆、花豆、日本ではあまり見かけないリマ豆（別名：世界一、ぺちゃ豆）など、透明なプラスティックケースに入った豆がずらりと並んでいる。在来や野生種は圧倒的に黒や茶系が多いのに対し、栽培種は白が多い。２０１３年3月の訪問時は、世界最大級の３７、３１３種の豆を保管しているといっていた。

保管されている豆はマイナス18℃、湿度5～6％の環境下におかれ、5年ごとに発芽試験が行われ、合格した種子だけが格納される。さらにリスクヘッジのため1品種につき5セットを保管するという。

日本もそうだが世界各国にはこうした遺伝資源センターがあり、野生種、在来種、栽培種を問わず、膨大な数のタネを集めて保管されていることが多い。ただしそれは、品種改良のための遺伝資源の確

保が目的だ。せっかく農家から在来種のタネを収集しても、農家にその在来種をつくり続けるよう働きかけるわけではない。むしろ、農家の所得を上げるためという名目で、つくりにくい在来種の栽培はやめて、より生産性の高い栽培種に切り替えるよう指導をする。

いったい誰のための研究なのだろう。厳重に管理されている様子を見ただけに、複雑な気持ちで研究所を後にした。

この後、コロンビア国内では２００種のタネを保存する先住民のゼヌ族や、他国ではベネズエラやキューバなどで、私的に在来種のタネを採種し続ける生産者グループに出会うことになる。彼らは「自分たちのために」豆をつくり続けていた。こうした彼らの姿も紹介していこう。

CIATで保管されている豆は、世界最大級の保有数。
消失に備えてのリスクヘッジが考え抜かれていた

＼中南米編／

メキシコ

トルティーヤは生地から手づくり、「トウモロコシ×豆」が必須の食べ合わせ

研究所と街をあげての歓迎にとまどう

メキシコには伝統的農法「ミルパ」があると以前から聞いていた。別名「スリーシスターズ」といい、窒素固定をして土地を肥やす「豆」、豆のツルが這う支柱となる「トウモロコシ」、葉が日除けとなる「かぼちゃ」を組み合わせて植えることで、お互いの生育が助けられる農法だという。現在でいうコンパニオンプランツだ。こうした伝統的な農法に出会うことを期待して、２０１４年７月、メキシコ南部のベラクルスとチアパスを訪れることにした。７月のベラクルスは30℃前後と蒸し暑い。

到着後、そのまま「ＩＮＩＦＡＰ（Instituto Nacional de Investigaciones Forestales Agrícolas y Pecuarias；メキシコ国立農牧林業研究所）」へ向かう。会議室に入ると研究者7～8名がすでに着席していて、研究所の所

豆料理の香りや色付けに、
ハーブ「チピリン」は
欠かせないのよ

基本情報

首都 メキシコシティ

言語 スペイン語

通貨 ペソ（1ドル＝約20.06ペソ、2021年4月 墨中銀）

訪れた場所
オアハカ、ベラクルス、チアパスなど

旅した期間
2013年3月17～23日
2014年7月30～8月2日
2016年7月11～19日

出会った豆
黒いんげん豆（ガルセニオ、タカナ）など

長をはじめ、ずらりと並ぶ要職者の顔ぶれが物々しい。

わたしの自己紹介の後、研究所の活動内容について所長からスピーチがあった。１９５４年の設立以降、伝統的な農業技術を応用しながら新たな技術を開発、日本のＪＩＣＡの協力のもと「一村一品事業」を始動させるなど、小農の技術支援のみならず農作物のプロモーションまで行っているというから研究機関としてはめずらしい。

翌朝、コーディネーターのグロリア（M. C. Gloria Angelica Sosa Fragoso）がホテルに迎えに来て開口一番、「プレスミーティングが入ったので急いで！」と言う。意味がわからないままついて行くと、クラシックなカフェが併設された講堂に、ベラクルス市長や行政スタッフ、観光関係者、新聞、雑誌記者など20名くらいが待ち受けていた。

「何ごと？」とグロリアに聞くと、「新聞の取材よ。記事に出る」という。どうやらメキシコの先住民を中心に、在来のタネを守る活動が盛んになってきたことと関連して、取材の申し出があったようだ。取り上げてくれるのはありがたいが、わたしの目的は一人でも多くの豆農家に会うこと。貴重な時間を取られたくない。グロリアに念を押すと「わかっているってば。ここが済

プレスミーティング後の朝食タイム。都市ベラクルスの一般的な朝食メニュー

んだら農家へ行くから安心して」。

市長の横に座らせられ、記者との質疑応答が始まる。日本の在来豆の概況、タネにまつわる問題や政府の対応など、何の予告もなくぶっつけ本番の質問が続く。なんとか切り抜けたが、事前にわかっていたらそれなりに準備して行ったのに。

終わったら併設のカフェで、市長や大勢のスタッフとの朝食タイム。油で揚げたトルティーヤ、豆ペースト、チーズ、ワカモレなどをのせたものが、一皿に盛られている。ベラクルスでもやはり、豆ペーストが出てきた。ほかの中南米諸国と同じように、豆を煮てペーストしてからにんにくを入れ、油で炒める「リフライドビーン」だ。にんにく風味が程よいアクセントになっている。豆は１人前１５０グラムはあるだろうか。オプションで小麦粉のパンやスクランブルエッグ入りトマトスープも出てきた。グロリアいわく、「これがベラクルスの一般的な朝食、都市ならではかもね」。農村での朝食はまた別物なことが、この後の取材でわかってきたのだけれど。

黒いんげん豆の国、メキシコ

メキシコは黒いんげん豆圏のようだ。ベラクルスでも、以前訪れたオアハカも、そして今訪ねているチアパスでも、「オジャ」とよばれる丸いぽってりした素焼きの鍋で、黒い豆を毎日かまどの上で調理する。

そう、毎日。メキシコの農村では「豆を煮ることが億劫」なんて誰も思わない。かつての日本がそうだったように、ストーブの上に置いておけば勝手に煮える、いたってシンプルな手順だからなのか。それだけではない。メキシコ人にとって豆は、味も栄養的にも、トルティーヤに欠かせない相棒だということを、ここに来てみて確信した。

日本で豆料理が日常から遠ざかった原因は、わたしはガスコンロの普及によるものだと思っている。ストーブにかけておけば煮えているようなほったらかし調理ができないので、いつしか豆料理は「手間がかかるもの」になってしまったのだ。それに対してチアパスの農村では、ガスはサブの火力でメインはあくまで薪だった。1メートル四方はあるレンガのかまどに薪をくべ、その上に伝統的な調理器具である「コマル」という素焼きの板を置き、そこでトルティーヤを焼いたり、鍋を置いて煮炊きをしたりする。ジェスス（Jesus Grajales Palacios、39歳）に、豆料理をつくってもらうことにした。

豆は、自家採種歴5世代を超えるという黒いんげん豆の「ガルセニオ」だ。小ぶりな粒形といい色といい、北海道の黒小豆とよく似ている。もうひとつ、在来の黒いんげん豆「タカナ」があった。虫食い豆をはじいて豆を洗い、オジャに入れたら蓋をして、コマルの上に置く。途中で差し水をして４時間。煮えた。直火にかけないのでゆっくり火が入り、皮切れもない。豆を煮るにはうってつけのかまどだ。こうして彼女のところでは毎日、４人家族で５００グラムの豆を煮る。煮豆にすると倍に増えるから、１人当たり２５０グラムは食べる勘定になる。そして、驚いたのは豆の煮汁の使い途だ。まずひとつ、鉄分を含む豆の煮汁は、乳幼児の貴重な栄養飲料になる。さらにふたつめ、離乳食にもする。「トルティーヤ表面の薄い皮をはがして、小さくちぎって煮汁に浸して、それがふやけてやわらかくなったものを食べさせるの。でもね、煮豆はなしよ」。コルドバで出会ったニンファ（Ninfa Ortega

上／「コマル」のある台所。鍋を置くだけのほったらかし調理で、豆が煮える　下／素焼きの鍋「オジャ」を手に、調理をするジェスス

Hernandez、81歳）が遠い記憶をなぞるように教えてくれた。煮豆を入れないのは、たぶん消化に悪いからなのだろう。

Cooking

フリホール・コン・チピリン（黒いんげん豆の炒め煮）

コマルにホーローのフライパンを置き、輪切りにした玉ねぎを一つ放り込んで、植物油を多めに加えてじわじわ素揚げする。しばらくして煮豆と煮汁を加え、ふつふつしてきたら、鍋のなかでマッシャーやフォークで豆をつぶす。塩で味を調えたら完成。

ここで完成と思いきや、なにやら庭先の葉っぱを投入。「チピリン」というメキシコでは定番のハーブで、香りと色付けに、煮豆や「タマル（トウモロコシ粉を使った粽のようなおやつ。ホンジュラスで後述）」に入れるという。このチピリン、なんとマメ科の植物で、日本でいう「タヌキマメ」の仲間だった。毛むくじゃらの実がタヌキに似ていることが名前の由来らしい。

フリホール・コン・チピリンは、中南米諸国でしばしば見かけるリフライドビーンのバリエーションだ。チピリンのほんのり酸味がきいた豆ディップは、トルティーヤとの相性も抜群によかった。

次に煮豆を粒のまま、少しの煮汁と一緒にトルティーヤの生地となる「マサ（後述）」に混ぜ始めた。「メメラス（Memelas）」をつくるという。

Cooking

メメラス（**黒いんげん豆のお焼き**）

豆が入ったマサを、1センチくらいのぽってりした厚さに丸めて、コマルの上で油をひかず直に焼く。

コマルの隅っこでトマトを炙っておき、黒く焦げた皮を取り除き、残りをミキサーにかけて塩で味付けしてトマトソースにする。激辛唐辛子をスプーンでつぶし、玉ねぎのみじん切りとレモン汁で和えたドレッシングもつくる。両方を熱々のメメラスにかけて食べる。

この焼き方といい見た目といい、北海道の道東で見られる「ばたばた焼き（馬鈴薯でんぷんに甘い煮豆を混ぜた生地をストーブの上で焼く、でんぷん団子）とそっくりだが、味はまったく似て非なるものだった。付け合わせの激辛唐辛子が、口が焼けるかと思ったくらい辛い。豆を味わう余裕などあったものじゃない。以前、オアハカの専門店で食べたメメラスは、トルティーヤの上に黒いんげん豆のペーストを塗り、レタス、チーズなどをのせて食べていた。地域によってつくり方はずいぶん違うようだ。

「マサ」から手づくりするトルティーヤ

ジェススは豆料理以外にもう一品、料理デモンストレーションをしてくれた。メキシコの主食の定番、トルティーヤだ。しかも、かねてから一度見てみたいと思っていた、乾燥トウモロコシから「マサ」をつくるところから見せてくれるというから興味津々。

Cooking

マサ（トルティーヤなどの生地）

乾燥した淡い黄色のトウモロコシ粒を取り出し、数回洗う。3キログラムのトウモロコシで、トルティーヤが36枚できる。大きな寸胴鍋に入れ、たっぷりの水を加える。そこへなにやら白い粉をお玉山盛り1杯入れた。草木灰だ（昔は貝殻を焼いた灰も使っていた）。灰はアルカリ性なので、トウモロコシの皮を柔らかくする作用があるという。

トウモロコシの入った鍋を、コマルの上にのせて1時間。じわっと、ゆっくり火が入る。その後、5〜6回水洗いをすると、皮が取れて白い粒が残る。これを手回しのグラインダーですりつぶし「マサ」の完成。見た目はおからのようだった。

トルティーヤ、メメラスなどは、すべてこのマサからつくられる。トウモロコシをアルカリ処理するところがミソで、食感も栄養価も違ってくる。生地に粘りが出て、焼くとしっとりやわらかくなり、トウモロコシに含まれる必須アミノ酸のひとつ、ナイアシンが吸収されやすくなるという。

実際、日本に帰国してから、コーンフラワーと小麦粉をブレンドしてトルティーヤの生地をつくってみたら、パサパサして固くしっとり感がない。調べると、アルカリ処理したトウモロコシを使うと粘りが出るが、コーンフラワーはアルカリ処理されていないためとわかった。ちなみにマサを乾燥させた粉は日本でも入手できるので、ぜひ試してほしい。

Cooking

トルティーヤ

先ほどつくったマサを小さくちぎり、器用に平たく丸く成形して熱々のコマルの上に広げた。油はひかない。メキシコの一般家庭には、「トルティーヤプレス」という、マサを挟んで平らに伸す道具があるが、彼女はそれを使っていなかった。ほんのり焦げ付いたらひっくり返し、両面焼くとただちに布にくるんでおく。トルティーヤを食べるとき、熱々でなければならないからだ。トルティーヤが残ったら、きし麺みたいに切って天日干しし、スープに入れて食べるという。

さらにジェススは、できたてのマサをスプーンでちょっとすくってグラスに入れ、水を注いだかと思うと、ぐびっと飲み干した。へぇ……はじめて見た、マサドリンク。飲めるんだ。ほれっ、とわたしにもグラスを差し出す。一口飲む。ドロリとしたドリンク、というかスムージー。手っ取り早くエネルギー補給できる飲料、日本でいえば、重湯かお粥に当たるのだろうが、味もそっけもなく、わたしにはとても飲める代物ではなかった。

チアパスの朝はこんな風に、乾燥トウモロコシと乾燥豆の調理から始まる。豆食の国メキシコは「トウモロコシ×豆」が必須の食べ合わせなのだった。

ルナカレンダーとミルパで育つ畑

チアパスの人たちは老いも若きも、食べ物から肥料、農薬にいたるまで手づくりを基本としている。こうした「代々続くなんでもない日常」のなかに、伝統的な農法もきっとあるに違いない。年を重ねた農家に聞いてみたくて、今度はジョージ（Jorge Aguller Lopez、67歳）の家へと向かった。

彼は豆のほか、マンゴー、チピリン、ハヤトウリ、キャッサバ、レモン、オレンジ、さとうきびの

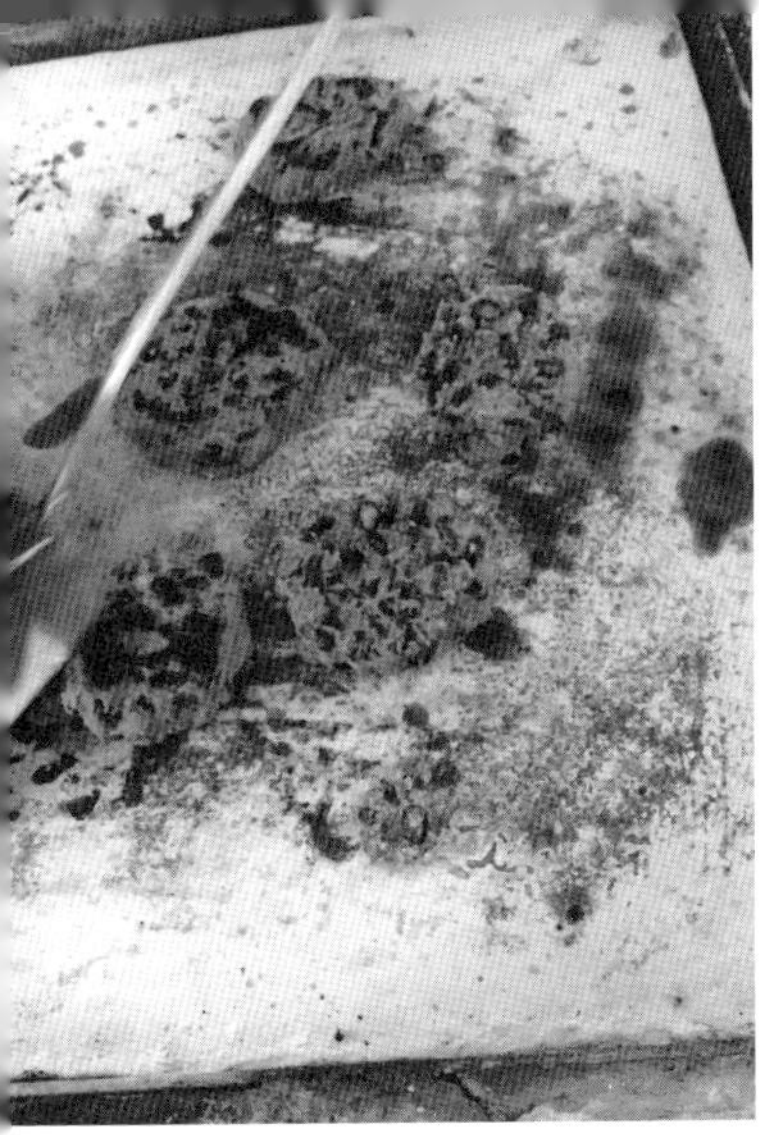

上／「メメラス」の少し焦げた香ばしさが激辛ソースとよく合う
下／黒いんげん豆のリフライドビーンズ、豚の皮入りスクランブルエッグ、トルティーヤで朝食

ほか、十数種類もの作物を栽培している。

「昔から続けている農法はありますか？」と尋ねた。「伝統的」という表現をあえて使わなかったのは、彼らが今も続けている当たり前の農業が伝統的なのか、彼ら自身にも判断がつかないからだ。ジョージはちょっと考えてから「あ、これだ」といって、カレンダーをもってきた。月の満ち欠けのイラストが日付の横に入った、ルナカレンダーだった。

「豆は満月の日にタネを蒔き、満月の8日後に収穫すると虫がつかないんだ」。果物も満月の後に収穫するという。詳しいメカニズムはわからないが月の満ち欠けと農事は、切っても切れない関係なのだった。また、今使っている肥料のつくり方も教えてくれた。

「コーヒーの葉や枝、豆のクズを燃やして、その灰と木の葉を混ぜて発酵させる。25日置いてかき混ぜ、熱くなりすぎていたら、水を差して温度を下げる。その後15日したらできあがりだ」。

でも化学肥料を使うようになって収量が落ちたと、こぼしていた。だから彼はなるべく、肥料も農薬も有機質のものを使うようにしているようだ。

彼の甥のマリオ（Mario Alberto、39歳）に、伝統的農法ミルパで栽培する畑を見せてもらった。枯草で覆われた山の斜面に、トウモロコシと数珠なりに実を付けたいんげん豆が育っている。紫色の莢なので「黒いんげん豆？」と聞くと、やはりそうだった。この村には、在来の黒いんげん豆がいくつかあって、家々で好みの品種を自給しているらしい。収量や煮え方、味の好みがあるのだろう。

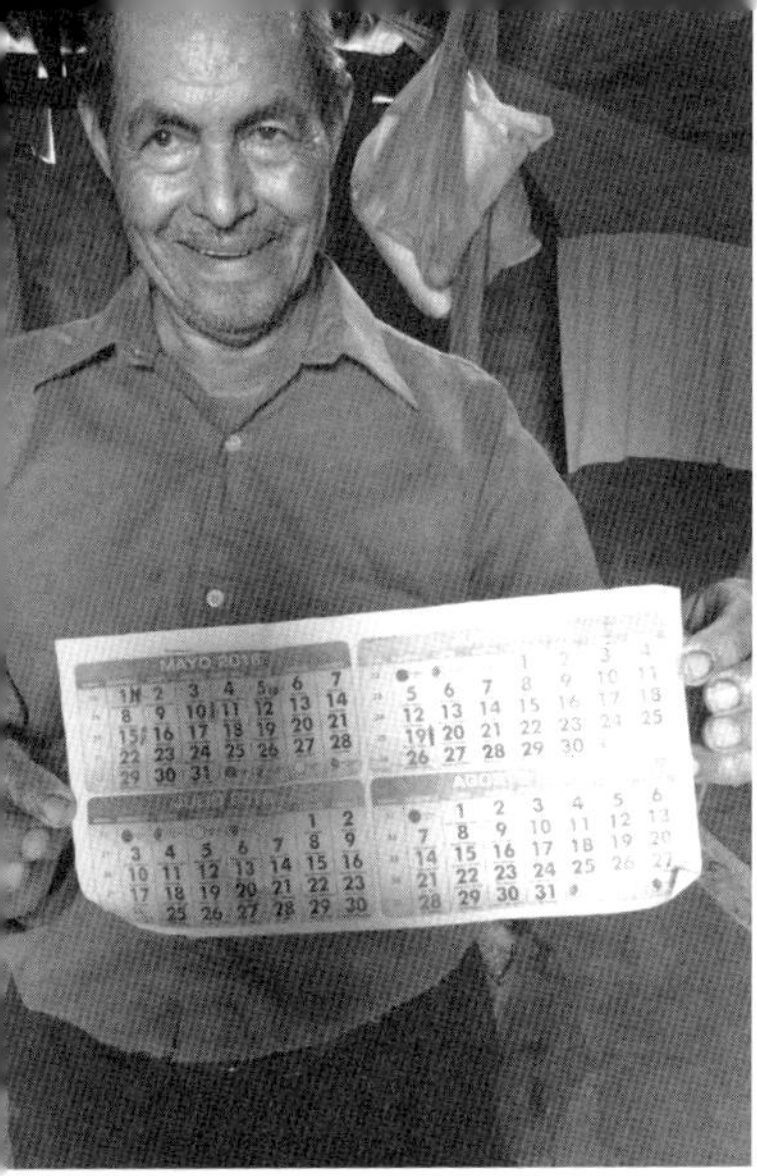

上／ジョージが見せてくれたルナカレンダー　下／ジョージの甥、マリオ。かぼちゃに黒いんげん豆の煮豆を入れて焼いたものが好物

彼に好きな豆料理を聞くと「かぼちゃは3回収穫できるが、1回目に収穫するものが一番甘くてうまい」という。豆のことを聞いたのに、と思ったが、さらに聞くと「かぼちゃの中を少しくり抜いて、黒いんげん豆の煮豆を入れ、薪の中で焼くのさ。ほこほこして、うまいのなんのって。俺の大好物さ」。

なんともワイルドな豆料理が出てきた。これを聞いて日本でのエピソードを思い出す。昔、わたしの故郷の北海道遠軽町が、東洋一を誇る薄荷の産地として潤っていた時代、村人総出で薄荷の蒸留をしている時、夜食として燃え滾るかまどにかぼちゃを丸ごと放り込み、真っ黒に焦げた皮を取って、ふうふういいながら食べた、という話。時空を超えて、まさかメキシコの村で同じような話を聞くとは。日本の裏側に住むマリオに不思議な親近感を覚えたのだった。

\中南米編/

ブラジル

ブラジルの味噌汁「フェイジャオ」、ソウルフード「フェイジョアーダ」の国

スープ、豆ご飯……料理の用途が違う在来ささげ

「豆食大国、ブラジル。人々はよく豆を食べる」と知人から聞いていたので、一度行ってみたいとかねがね思っていた。でもブラジルは広い。約851万平方キロメートル、日本の面積の約22・5倍もあるのだ。さてどこへ行けばよいのか、皆目見当がつかなかった。

さらに準備を進めるうち、豆の産地はいくつかあるものの、わたしがターゲットとする小農がいる可能性は低いことがわかり、まずは現地入りして周辺情報の収集からはじめることにした。今回のコーディネーターの百合澤将さんは日系3世で、ほぼ完璧にネイティブの日本語を操り、こちらの細かい希望を把握してくれる有能な通訳でもあった。

ご飯にかける豆スープ「フェイジャオ」は、毎日の食卓には欠かせない！

基本情報

首都　ブラジリア

主要産業
製造業、鉱業（鉄鉱石ほか）、農牧業（砂糖、オレンジ、コーヒー、大豆ほか）

言語　ポルトガル語

通貨　レアル

旅した期間
2014年8月4～12日
2015年8月29～9月2日

訪れた場所
パラ州テラ・アルタ、ブラジリアなど

出会った豆
ささげ（カウピー・プレト、ブラック・アイド・ピーズなど）、いんげん豆（フェアジャオ・カリオカ）、リマ豆など

最初に訪問したのは、ブラジル北部の都市ベレンから北東へ100キロのところにある、パラ（Para）州テラ・アルタ（Terra Alta）にある村だ。ここにささげ7種を栽培するという農家、シルビア・クリスティーナ（32歳）を訪ねた。年中暑いこの地域では、雨風がしのげれば十分なのか、住まいは板を継ぎ合わせたような壁にトタン屋根。日本の仮設住宅よりずっと貧相で簡素なつくりだ。

シルビアの家は豚を飼う有畜農家で、7種のささげとそら豆1種、バナナ、アサイー、キャッサバ、トウモロコシなど17種の作物を栽培している。食べるものは、ほぼ自分たちの畑で賄っているという。家族5人で1カ月6キログラムの豆を使うというから、茹でた豆にすると1日1人100グラムを食べる勘定になる。お椀に1杯ないくらいの量だが、ここ数年の日本人の豆摂取量（大豆、加工品含む）が60グラム前後なのと比べると、かなり多いことがわかる。やはり豆食の国だ。

ささげを見せてもらうと、播種後だったこともありタネが残っていたのは3種類だった。

・黒いささげ「カウピー・プレト」：お祭り用

・茶色いささげ「カウピー・センプレ・ヴェルデ」：米と一緒に炊く豆ご飯用
・薄茶色のささげ「カウピー・カロリナ」：ご飯にかける豆スープ「フェイジャオ」用

さらにどのささげも、茹でてから皮を取ってマッシュし、裏ごししてから肉と混ぜ、丸めて揚げてコロッケのようにして食べるのだそうだ。皮を取ってさらに裏ごしするとは。意外にも料理法が丁寧なのに驚いた。

日系ブラジル人に教わる、ふだんの豆料理

日系ブラジル人の食生活は、70代以上の家族がいるかいないかで大きく異なる。年配者がいる家で

上／農家・シルビアの家で見せてもらった茶色いささげ。新潟県の赤飯ささげにそっくりでご飯に入れるところも同じ　下／台所は屋外、食べるときも外。粘土で固めたかまどで煮炊きする

は、豆腐、納豆、梅干し、漬物、味噌汁などの日本食が毎日の食卓に並び「ほんとうに、ここはブラジルなの?」と思いたくなる品々が勢ぞろいする。味噌、豆腐などの大豆加工品を手づくりする人も多いし、スーパーなどでもたやすく手に入る。

ところがその世代が家にいなくなると、食生活は一変する。コーディネーターの百合澤さんが次に連れていってくれた取材先は、日系3世のフヴェニルダ吉川さん宅だった。彼女の家には味噌も漬物もなく、かろうじて醤油だけが冷蔵庫に入っていた。ただしそれは中国製のちょっと甘い醤油といった具合。ほぼブラジル食の彼女に、ブラジルの国民食といわれる「フェイジョアーダ」をつくってもらった。ここで使った豆は、ベージュに貝殻模様のいんげん豆「フェアジャオ・カリオカ」。北海道の栗いんげんによく似ている。

Cooking

フェイジョアーダ

みじん切りの玉ねぎ、にんにくをフライパンで炒め、香りをだす。ダイナミックにぶつ切りした「チャルキ（塩漬けした牛の干し肉）」、煮豆をどっさり入れて煮込む。塩気の強いチャルキの代わりにベーコン、リングイッサ、チョリソーといった大きなソーセージを使うこともある。オレンジ、ケールを付け合わせてできあがり。

豚の鼻や尻尾、耳の入った豪快な現地流を期待していたのだが、もはやこういう古典的なフェイジョアーダは、一般家庭ではつくらないらしい。残念。一方、大きなコーヒー農園を所有する、イタリア系移民のブラジル人のところで食べたフェイジョアーダは、バナナ、ミカンジュース、すりおろしリンゴを入れていた。日系人から教わったレシピだといっていた。続けて「ブラック・アイド・ピーズ」と呼ばれる、白地にへそが黒いささげの入った豆の炊き込みご飯もつくってもらう。ブラック・アイド・ピーズはアフリカではよく使われる豆だが、ブラジルでも比較的よく見かけた。

Cooking

バイヨン・デ・ドイス（Baião de dois、ささげの炊き込みご飯）

豆を一晩浸水させてから煮ておく。鍋にみじん切りした玉ねぎ、にんにく、小口切りした長ねぎ、オリーブオイルと植物油、クミンパウダー、黒コショウを入れ炒める。この時、赤い色の粉「コロラル」も投入。さらにしばらく炒めてから、洗っておいた白米、煮豆、水と塩を入れ、炊くこと20分。鍋を開けてびっくり、黄色いカレーピラフのようなご飯が炊き上がっていた。熱々のところに、脂身の多いカリカリに炒めたベーコン、ざく切りしたコリアンダーを混ぜる。

炒め油にオリーブオイルを使うのは、健康を考えてだという。中南米では先住民を除きオリーブオイル派が多いが、値段が高いため農村では珍しい。赤い色の粉、コロラルの正体を聞くと「ウルク（和名ベニノキ）」というアマゾンフルーツの実を乾燥させ、粉にしたものだという。自然由来の色粉とは、日本よりもヘルシーではないか。このバイヨン・デ・ドイスは、ブラジル北東部ノデスチ地方の郷土食だ。この地方の舞曲バイヨン（Baião）は2拍子、そしてドイス（Dois）とはポルトガル語の「2」を意味する。豆と米の二者が奏でるハーモニー、といったところか。

ワンプレートに盛り、ブラジルのふりかけ「ファロファ（Farofa。キャッサバをすりおろし、塩、スパイス、調味料を加え炒ったもの）」をかけて食べる。半分が脂身というベーコンのせいか、日本の炊き込みご飯よりもかなり油っぽい。でもブラジルの米はパラパラでお腹にどっしりこないので、個人的には好みだ。ファロファのスモーキーな風味とコリアンダーの香りが絶妙にきいた、ささげご飯だった。

上／バイヨン・デ・ドイスをつくる。ベーコンと煮豆炒め、ポテトサラダを付け合わせに　下／フヴェニルダ吉川さん家の台所

ブラジル在来のリマ豆は種類が豊富！

首都ブラジリアを訪れる。標高１、１７２メートルの高原に建設された計画都市で、ブラジルの著名な建築家ルシオ・コスタが設計し、１９８７年には世界遺産にも登録されているこの都市、所得の高い人たちが好む治安のよさはあるが、どうも街全体が整然としすぎてスキがない。

ブラジリアにある農業研究機関「ＥＭＢＲＡＰＡ（The Brazilian Agricultural Research Corporation；ブラジル農牧研究公社）」で、ブラジルの豆について聞くことにした。遺伝資源の担当者は、ブラジルの店では見かけない「リマ豆」をたくさん持ってきてくれた。リマ豆は日本でもあまり一般には出回らないが、関東甲信越地方ではよく見かける在来種だ。今回見せてくれたのは、黒い斑、赤い斑、斑模様が細かいタイプ、赤色、黒色、茶色、白地にへその周りが黒いものなど、バリエーション豊富。リマ豆だけで30種もあるという。

この中に小粒でぽってり型のものがあった。日本では別名「ぺちゃ豆」「ぺちゃんこ豆」というくらいだからだいたいは平たいのに、丸みを帯びた姿はめずらしい。ベビーリマだ。白地に透きとおるような薄い皮は、煮るととろりと口触りがよい食感のはず。無性に食べてみたくなった。

ところが出鼻をくじかれた。「これは、ブラジル北東部の先住民が儀式などで使う装飾品の豆で、食用ではありません」と担当者。装飾用なんてもったいない。食べてみればいいのにと、余計なことを言いたくなってしまった。

ブラジルの味噌汁「フェイジャオ」

この土地に住む富裕層の豆料理を知りたくて、研究所のつてをたどって人を探す。ラッキーにもすぐに見つかり、ラファエル（Rafael Maury de Sousa e Silva、25歳）の自宅を訪ねた。祖母、両親、姉の5人家族で、祖母のレナタ（68歳）、母のアンヘラ（43歳）から手料理を教えてもらうことになった。ブラジリアのお金持ちといえども、ご飯にかける豆スープ「フェイジャオ」は毎日の食卓には欠かせないらしい。ちなみにブラジルでは、「フェイジョアーダ」は休日や特別の日の料理との印象が強く、ふだんの日は豆がメインのスープ「フェイジャオ」を、日本の味噌汁のようにご飯と一緒に食べることが多い。

豆は日系3世のフヴェニルダ吉川さん宅のところと同じ「フェアジャオ・カリオカ」を使う。

Cooking

フェイジャオ

豆を煮る前に、一晩浸水させる。翌日、圧力鍋に、にんにく、ローリエ、塩、ブイヨン、豆と浸けておいた水を加え、45分加熱する。煮えたら豆をつぶす。そこにつぶしたにんにくと、豆の煮汁を混ぜる。再び鍋に戻し、少し火を入れて完成。

ラファエル家のフェイジャオのポイントは、つぶしたにんにくと煮汁を加えてドロッとした状態にもっていくこと。残ったフェイジャオは、ミキサーにかけて再び加熱し、スパゲッティを少し入れて食べたりもするという。

ブラジリアのバールで「カルド・デ・フェイジャオ」を食べた時を思い出す。出てきたのは肉も豆粒もない、ただの豆の煮汁だった。トレモスという豚の皮の素揚げが数枚、上品に添えてある。インテリや富裕層の多いブラジリアらしく、人々は健康を気にして豆の入らないスープだけすするらしい。

この先の訪問地でも、フェイジャオを数人につくってもらったが、ほぼつくりかたは同じ。違うとすれば、使う豆の種類と、豆を煮る時に香味野菜やハーブや植物油を入れるか入れないかくらい。ベーコンをカリカリになるまで炒めるのをポイントとする人もいたり、調べた家の数だけ、フェイジャオのバリエーションが出てきそうなくらい多岐にわたっていた。

最後に、ラファエル一家がフェイジョアーダを食べるときのユニークな作法を紹介しよう。家族が食卓につくとまず、コップにフェイジョアーダの煮汁を少し注ぎ、コリアンダー、長ねぎ、コショウをトッピングして飲む。その後、肉を食べる。理由を聞くと「特別な理由はないんだよ、ただ昔からの習慣なんだ」と、拍子抜けする答えが返ってきた。肉は消化によくないので、食べる前に煮汁を飲み胃の粘膜をコーティングするのだろうか。勝手な解釈だが、フェイジョアーダ、フェイジャオが、今もブラジルの国民食として食卓に根付いていることを実感できた発見多き取材だった。

中南米編

ペルー

アンデスの大豆「タルウィ」の国

食用ルピナス「タルウィ」を探す旅

日本では「ルピナス」や「ハウチワマメ」と呼ばれる、アンデスの在来豆「タルウィ」。わたしが生まれ育った北海道では、寒くてもやせ地でもどこでも育つ強靭な植物で、道路わきに紫やピンクの背の高い花を咲かせているのをよく見かける。日本でルピナスといえば主に園芸植物だが、原産地である地中海やアンデスでは、よく食べられている豆だ。

地中海原産の白花ルピナスはアク抜きの必要がなく、スペインやポルトガル、イタリアなどでは、お酒のおつまみとしてルピナスの塩茹でがよく登場する。それに対してアンデス原産のルピナスは、アルカロイドを含み苦いため、数日から数週間かけてアク抜きが必要となる。ボリビアなどの一部の国では〝貧民の食べ物〟と蔑まれている。だが、栄養学的には優等生で、タンパク質含量が42〜44％と高く、アンデス先住民の貴重なタンパク源として「アンデスの大豆」ともいうべき存在なのである。

ペルーでは、このタルウィに焦点をしぼって取材することにした。２０１５年の夏、ペルーに降り立つ。コーディネーターのチャスカ・シノダが、ルピナスの加工会社とアポイントメントがとれたというので、会いに行くことにした。代表のマリオ（Mario Anaya Gautier）が２００７年に創業したこの会社は、アンデスの食文化を今に伝えることを目的に、さまざまな加工品を製造販売している。

彼いわく、ルピナスのアンデス周辺での消費量は多い順に、ペルー、ボリビア、エクアドルで、エクアドルは海外に輸出もしているが、イギリスやオーストラリアではほとんどが緑肥と家畜の飼料になり、人間の食用になるのは４％程度。先述のように、アンデス原産のルピナスはアルカロイドを含むので、マリオの会社で現在、製造加工するのはヨーロッパ産ルピナス３種のみだという。

残念。ではアンデスの人々は、実際にどうやってタルウィのアク抜きをしているのだろう。チャスカに頼み込み、先住民の暮らす農村に連れていってもらうことにした。

2週間以上もかかる「タルウィ」のアク抜き

でかけた農村はコラオ（Corao）という、クスコから車で1時間くらいの村だった。折しも、タルウィ（ルピナス）の脱穀シーズン。山のように積まれた豆殻を足で踏んだり、スコップでどさっとすくっては

タルウィのアク抜きには
2週間もかかるけど、
食用にも薬にもなる
大事な豆なの

基本情報

首都 リマ

主要産業
製造業、石油・鉱業、商業、農業、建設業

言語 スペイン語
(ほかにケチュア語、アイマラ語など)

通貨 ソル

訪れた場所
リマ、コラオ、クスコなど

旅した期間
2012年8月10～8月31日
2015年9月8～11日
2018年9月16～25日

出会った豆 タルウィ、いんげん豆など

上から落とし、風で殻を飛ばす作業をしている。

取材先のあてがなかったので、道行く人にひたすら声をかける。その中で「いいわよ。今タルウィを水に浸けているから、見に来る?」とOKをくれたのが、フアナ・クピパ・キウア(50歳)。一気にことが進んでいく。

彼女が連れていってくれたのは村を流れる灌漑溝で、20キログラムは入りそうな大きなプラスティック製の穀物袋に詰め、その袋が流されないよう上から重石を置いて水に浸してあった。水は山あいを流れる沢のように、とても澄んでいてきれいだ。袋をほじくって数粒取り出してもらうと、タルウィが水を吸ってぷっくり膨らんでいた。

アク抜きの手順は、まず1日かけて浸水させ、翌日袋から出し、鍋で1時間煮る。茹で汁を捨ててから袋に入れ、沢や灌漑溝などの流水に1週間浸けておく。長いと2週間という人もいた。その後、保存がきくように天日干ししてやっとできあがり。

よくやるなあ、タルウィのアク抜きには2週間もかかるのか。こんなに時間も手間もかかるとは思ってもみなかった。

上／タルウィ（ルピナス）を脱穀する　中／脱穀したタルウィ。ここから水に浸けてアクを抜く　下／フアナがつくってくれたタルウィスープ

タルウィ料理のバリエーションを学ぶ

翌日、フアナにタルウィ料理のデモンストレーションをしてもらう。料理に使われたチーズは、発酵期間の短い牛乳のフレッシュチーズだった。牛はヨーロッパから入ってきた家畜なので、チーズは本来アンデスの伝統食ではないが今では一般的に使われている。

Cooking

タルウィスープ

トマトの皮とタネを取り、タルウィは茹でておく。鍋に油をひき、トマト、にんにく、長ねぎの白い部分、クミン、オレガノを炒める。人参、じゃがいも、水を加えて、じゃがいもが煮えたら、タルウィ、現地の青菜、若いそら豆の実を入れる。仕上げにパクチー、残りの長ねぎ、フレッシュチーズを入れ、塩で味付けして完成。

Cooking

タルウィ・ウチュ（**タルウィの濃厚ソース**）

石の台「ヤタン」の上で、タルウィをすりつぶす。玉ねぎ、にんにくを合わせて炒め、甘い香りのする「ワカタイ」というアンデスのハーブを入れて混ぜ合わせる。タルウィ特有の匂い消しなのだそうだ。仕上げに先ほどのフレッシュチーズを加えて完成。

Cooking

キヌアのタルウィ・ウチュがけ

素焼きの鍋（炒る調理専用）に、アク抜きした雑穀キヌアを入れ、バチバチ音がするくらいの温度で色付くまで炒る。別の鍋で、キヌア：水＝1：2、にんにく、パクチーの茎を入れて炊く。炊き上がったら、油をふりかけてしばらく蒸す。これにタルウィ・ウチュをかけて食べる。

タルウィ・ウチュの「ウチュ」とは、ケチュア語で「ソース」のこと。グレービーソースのような使われ方をする。フアナのところでは、キヌアだけでなく、炒ったそら豆や、茹でたモテ（アンデスのトウモロコシ)、モラヤ(ケチュア語で「白い」という意味。冷凍後、天日干しした乾燥じゃがいも)といった、主食の盛り合わせにもかけて食べた。モラヤのポクポクした食感が美味しい。別の家でタルウィ・ウチュを米のご飯にかけて食べたところ、これまた相性抜群でドリアのようだった。

上/タルウィ・ウチュをかけたご飯。濃厚なソースでドリアのよう! 下/フアナの家の台所。ガスもあったが、メインの燃料は薪と乾燥した家畜の糞。粘土壁は入るとひんやり涼しく、9月上旬でも寒いくらい

万能の豆、タルウィ

ペルーの農業研究機関「ＩＮＩＡ(Instituto Nacional de Innovación Agraria;国立農業試験場)」に、各地で採集したタルウィのサンプルがあると聞き、訪問させてもらった。タルウィ担当の研究者ミリガン・ガナロに、研究所が保管するタルウィを見せてもらう。白、黒、茶色、薄茶、斑紋、偏斑紋などの個性

豊かなタルウィが１３２種、すべてクスコ周辺で収集したものだという。茶色のタルウィはえぐみが多いようで、白よりアク抜きに時間がかかる。黒いのは、野生種に近いのだそうだ。インカ時代から食べられているタルウィは、農民にとって肉のような存在であるにもかかわらず「１９８０年代以降は消費量が減って、タルウィ離れが進んでいる」とも教えてくれた。最後に、今回の取材で見聞きしたタルウィの活用法についてまとめてみた。

・豆を食べる・飲む‥皮を取ってすりつぶしてポタージュに、茹でたじゃがいもやご飯に合わせる濃厚ソースに、茹でてからミキサーにかけ水と砂糖を混ぜてポリッジ風ドリンクにするなど。
・豆の浸水液や煮汁を薬に‥浸水液や煮汁はアルカロイドを含むので、これで家畜を洗って寄生ダニなどを寄せ付けないようにする、畑の土の消毒など。
・豆の粉を食べる‥近年流行ってきた使われ方。タルウィ粉、その粉が入ったパンやケーキなどが、リマやクスコのオーガニックショップで売られている。
・豆の粉を薬に‥タルウィ粉、水、砂糖、はちみつ、クローブ、シナモンを入れて20分煮たものを飲むことで、虫くだしに。家畜の虫くだしにも。
・豆の殻を肥料に‥家畜の糞と混ぜて畑に鋤込んで、肥料にする。
・豆をまいて虫除けに‥畑の周囲にまいておくと、虫除けになる。

すごい。タルウィは、食べるだけでなく、浸水液や煮汁まで全部使えて捨てるところがない。にもかかわらず〝貧民の豆〟とは、タルウィが泣く。とかく富裕層からは支持が得られないタルウィだが、今回の取材でその高い栄養価のみならず、大変実用性の高い豆であることがわかったのは大きな収穫だった。

ラムネみたいないんげん豆「ヌーニャ」

「ポロトチェクチェク、ポロトアンヘル」と呼ばれる、白に茶色の斑いんげんを使った炒り豆「ヌーニャ」。2012年、ボリビアの首都ラパスの露店で出会った印象深い豆だ。サクッとしていて、口に入れると唾液で溶けてしまいそうな口当たりのよさに驚いてしまった。日本のいんげん豆は、炒っても歯が折れそうなくらい固いので、一体全体どうやってつくるのだろうと長年謎だった。

2018年に念願の実演を見せてもらう。近隣でとれる岩（炭酸カルシウムを多く含む岩）を砕いて粉にし鉄鍋で加熱。熱くなったら豆を入れ、ぷくぷくと弾けたらできあがり。岩の粉のおかげで豆全体にまんべんなく熱が入るのだという。熱々を数粒、口に放り込む。噛んだ瞬間、サクッ、シュワァ、和三盆の干菓子とラムネを足して2で割ったような食感で、現地でポッピング・ビーンとも呼ばれる。日本の豆菓子に一石を投じる商品になること間違いなし。

＼中南米編／

パラグアイ

土地を奪われた先住民たちの暮らしと豆

土地を奪われた先住民、グアラニー族

パラグアイでは調べたいことがあった。先住民（グアラニー族、アチェ族など）の暮らしぶりだ。彼らはそもそも狩猟と採集の民だったので、作物を栽培する習慣はない。しかし森から出て都市に住むようになった今、どのような生活をしているのか、はたして豆を食べるのか、とても気になるテーマだった。

首都アスンシオンに到着後、コーディネーターの日系パラグアイ人の高橋なるみさんを通じて、情報収集を開始。豆をつくっている先住民を探し、さらに車で行きやすい近郊エリアを取材先に選び、最初に訪れたのは、アスンシオンから東へ10キロのルケ（Luque）市にある、グアラニー族の住むタルリマンディミ（Tarlimandymi）村だ。コンテナを改装した小屋や仮設住宅のような家々が点在する。わずかな緑は見えるがまるでスラム街のようだ。

ここに住む彼らは、いわゆる「土地なし農民」といわれる貧困層。ブラジルなどの大規模農家が農地の規模拡大をすることで土地を奪われ、追い出された人たちだった。都市に近いこの場所に45世帯３００人が移り住んで3年になるというが、土地を失った彼らは不法占拠という形を余儀なくされる。仕事などあるはずもなく、出稼ぎや海外のＮＧＯからの微々たる支援で、なんとか食いつないでいるのが現状だった。

この村を案内してくれた、農牧省先住民技術支援局の担当者いわく「彼らは犯罪者扱いされますが、本当は土地を奪われた被害者なんです。農村にいれば畑や森の食べものがあるから、とりあえず食うには困らない。でも都市だと、働くどころか生きていくことすら困難になる。都市の貧困は農村よりずっと深刻なことがわかるでしょうか」。

パラグアイに限らず中南米では、こうした多くの小農の犠牲のもとに、農業の大規模化を推進する

タルリマンディミ村に住む土地なし農民。裏庭でいんげん豆をつくっていた

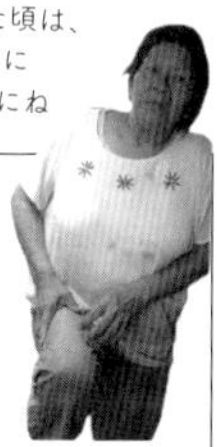

森に住んでいた頃は、
病気もなく健康に
暮らしていたのにね

基本情報

首都 アスンシオン

主要産業 農業、製造業（自動車部品など）、電力

言語 スペイン語、グアラニー語（ともに公用語）

通貨 グアラニー

旅した期間
2015年8月24～28日

訪れた場所
タルリマンディミ、セリート、ヌエバ・エスペランサなど

出会った豆
樹豆（ヴァンドール、クマンダ・ユイライ）いんげん豆、ささげなど

事業が政府主導で着々と進む。広大な畑で、遺伝子組み換え大豆やトウモロコシなどの穀物を栽培して輸出するためだ。パラグアイに住む先住民の過酷な状況を、目の当たりにした出来事だった。

先住民アチェ族の小学校で豆調査

パラグアイ滞在は5日間と短い。なるみさんと相談の結果、なるべく近郊の先住民を訪ねることにした。現地につてのある農牧省のエリスも同行して、アチェ族が69世帯住むというセリートに向かった。首都アスンシオンから15キロほど行くと、しだいにテラロッサの赤い土が見えてくる。鉄が酸化して赤くなった土質は、トウモロコシ栽培には向くが肥沃とはいえない。豆はやせた土地でも育つから、もしかしたら栽培しているかもしれない。そんなことを考えるうちに、とある小学校に到着。生徒20〜30名が、いっせいに駆け寄ってきた。顔立ちといい小柄な背格好といい、どことなく日本人に似ていて親近感がわく。するとエリスが「家にある豆を持ってきて」と生徒に号令をかけた。ナイスアイデア！

ちょうど昼休みに入るところだったので、子供たちはそれぞれの家へ駆けて行った。小学校の敷地内といってもいいくらい近くに住んでいるので、すぐに小さな手に豆を握りしめて、子供たちが戻ってきた。

あるわ、あるわ、色とりどりの豆たち。カリオカ、ハビジャ40、フェイジャオ、ポロト・ネグロ、ナビージャ・パリャー、グリジェルモ、セレスティーノ、アベル、アビージャ・ネグロなど、地方名のついた豆のオンパレード。ほとんどがいんげん豆かささげで、小豆や大豆らしき豆はなし。残念ながら畑を見る時間がなく、栽培しているかはわからずじまいだったが、都市近郊のアチェ族は豆を食べていることだけは確かだった。

子供たちに「好きな食べ物は?」と尋ねてみる。一番多かったのは、ミカン、パイナップル、イチゴ、バナナなどの果物でほぼ3分の1。ほかに肉、清涼飲料水や甘い菓子はいたが、豆はなんと

先住民アチェ族の小学生たちに、家にある豆を持ち寄ってもらう

ゼロ。ただし甘い豆乳を好む子が1人だけいた。パラグアイでは最近、豆乳が普及していて手に入りやすくなっているらしい。

エリスに「近くに住む人に話を聞きたいのだけれど」と頼むと、小学校から歩いてすぐの家を数軒、案内してくれることになった。コーディネーターのなるみさんが事前に伝えていてくれたこともありすんなりいったが、たいてい個人宅の訪問は断られることが多いので、顔が利く2人に感謝。

掘っ立て小屋とレンガの家と、どちらが快適？

訪れた木造の掘っ立て小屋には台所はなく、みすぼらしいつくりだ。小学校から井戸水を汲んできて、タンクに溜めている。板を張り合わせただけのベッドがあるが、家族の人数分なかったのでどうやって寝るのだろう。

小学校の生徒向けに雑貨などを扱う店のラモナ（58歳）が、インタビューに応じてくれた。5歳まで森の中に住み、当時の主食はアルマジロなどの野生の肉。狩猟が日常の生活で、子供が生まれると動物の名前をつけたというから、動物は生活には欠かせない生き物だったのだろう。当時は、特に病気らしい病気はしなかったが、森から出て食べる物も変わり、病気も増えたという。

彼女の家の隣が村長宅だったので、そのまま村長の奥さんのジョニ（52歳）とも話ができた。

「ここに住んで10年になるけれど、鹿肉と豚肉が主な食料。黒いんげん豆は、ブラジル人からタネをもらって栽培するようになり、豆と肉の煮込みや豆ご飯のつくりかたも彼らに教わったよ。豆は昔から食べてきたものではないけれどね」

アスンシオンに帰るまでにあともう1人会いたい。エリスに近場の知り合いを見つけてもらう。道路沿いにある比較的新しいレンガ造りの平屋の前で車を止めた。畑があるではないか。「あっ、グァンドール（樹豆）！」、思わず叫んでしまった。

家の主はドミニシアーダ・フェルナンデス（56歳）。前歯がないので、えらく老けて見えたが、まだ50代半ばだった。樹豆のことを「クマンダ・ユイライ」とよんでいた。クマンダとは、グアラニー語で豆のこと。若いときは枝豆のように莢ごと茹でて、乾燥した豆は子実を茹でて人間が食べ、家畜の餌

上／樹豆を見せてくれたドミニシアーダ　下／樹豆の子実は茹でて食べ、花も葉も食べる。家畜の餌にも

にもする。赤いささげも見せてくれた。豆ご飯にして食べるのだという。パラグアイのお赤飯か。

帰路、車中から彼女の家と同じレンガづくりの立派な平屋が建ち並んでいるのが見えてきた。この辺りは暮らし向きがよいのだろうか。エリスに聞くと、意外な答えが返ってきた。「ドイツのＮＧＯの援助で建ててくれたのはいいが、空き家でガラガラさ。みんな倉庫にしている」。

レンガは蓄熱性があるため、年中暑くて湿度の高いこの地域に向かない建材であることを、援助した側のドイツ人は知らなかったのだろうか。木造の掘っ立て小屋はみすぼらしく見えても風通しがよく、涼しくて快適であることをなぜ最初に調べておかないのか、不思議でならない。

先住民の通過儀礼に使われる豆

滞在はあと2日間。なるみさんが次に案内してくれたのは、首都アスンシオンから３８０キロ、車で5時間以上かかるヌエバ・エスペランサ（Nueva Esperanza）だった。現地でコーディネートしてくれたアンドレス（Andres Ramirez Rojas）の事務所に到着。彼はここに来て22年、先住民の暮らしをサポートする活動をしており、数年にわたり先住民と生活をともにしたフィールドワークの経験を持つ。彼のおかげでグアラニー族の豆について新たな情報を入手することができた。

「先住民は伝統的に豆を食べる習慣を持たないが、人生の節目節目で豆が登場している。ひとつめは出産のお祝いとして黒い豆（黒いんげん豆か黒ささげ）と、豆の花や豆の葉を食べること。ふたつめは男子が15歳になった日、女子は初潮を迎えた日に、いんげん豆を鉄の鍋で茹でて食べる」とアンドレス。初潮のお祝いについて各国で聞いてみたが、意外に少なく、アフリカでたった1件だった（調べればもっとほかにもあるだろうが）。

　さらに儀式や宗教行事に使う農産物は、すべて自生している野生種、あるいは自分たちの畑でとれたものに限られる。市販品は使わない。パラグアイでの先住民の話を聞く限り、豆はもともと先住民の食生活にはなかったのに、通過儀礼に使われる。これはどういうことなのか。残念ながらいまだに理由をつかめていない。

中南米編

チリ

先住民マプーチェからのサプライズ、豆づくしのポットラックパーティー

先住民マプーチェ族が暮らす町へ

インカ帝国やスペイン人の侵略に抵抗した民族として知られる先住民マプーチェ族。下調べもかねてチリ大使館にコンタクトをとってみたところ、農務部のヌリ・ディセニが面談に応じてくれた。「チリは、ほかの南米諸国と比べて生活水準が高く、食生活も欧米化しています。でもマプーチェは今なお、伝統的な暮らしを続ける人たちが農村部に残っているので、ターゲットとしてぴったりではないでしょうか」とアドバイスしてくれた。

「そうか、マプーチェか」、行ってみよう。その場でヌリに「コーディネーターを探してもらえないか」と頼んだところ、数日後、現地の農業研究機関である「INDAP（Instituto de Desarrollo Agropecuario；農牧開発局）」と「ＩＮＩＡ（Instituto Nacional de Innovación Agraria；国立農業試験場）」からＯＫをもらった、現地コーディネートもＩＮＤＡＰとＩＮＩＡのスタッフが引き受ける、とヌリから朗報が入った。目指すはチリ南部にあるラ・アラウカニア州テムコ。人口の80％がマプーチェというまさに先住民の町で、はたして彼らの豆と出会えるのか期待が高まる。

ＩＮＩＡのスタッフが探してくれた訪問先は、テムコから34キロ離れたヌエバ・インペリアルに住む、マプーチェのメルセデス（Mercedes J. Cone Huaiquimil、45歳）だった。彼女はマプーチェの伝統的な家屋「ルカ」に住み、食品や工芸品の販売や観光客の受け入れをしながら、その伝統を継承している。

屋根が野生の葦で覆われたルカは、ひときわ目立っていた。中は土間で暗くひんやりしていて、中央の調理場を兼ねた場所では火にかけた鍋がぐらぐら煮えたぎっている。調理にかかるメルセデスを手伝いながら、彼らの食について聞いた。

マプーチェの豆の食べ方を学ぶ

「マプーチェの主食って、何ですか？」「伝統的には麦、じゃがいも、そして豆。今日つくる〝ポロト・コン・モテ〟は、丸麦といんげん豆を煮ただけの質素なものだけれど、肉体労働に耐え得るカロリーがとれる腹持ちのよい主食よ。〝ギジャトゥン〟という雨乞いや豊作祈願の儀式でも食べるから、マプーチェには欠かせない穀物のひとつなの」

「ルカ」はマプーチェの伝統的な家屋なの

基本情報

首都　サンティアゴ

主要産業
鉱業、農林水産業、製造業（食品加工、木材加工）

言語　スペイン語

通貨　ペソ

旅した期間　2015年9月3～7日

訪れた場所
サンティアゴ、テムコ、ヌエバ・インペリアルなど

出会った豆
白花豆（パジャール）、いんげん豆（ポロト・コン・マンテカ）、うずら豆（ポロト・ハジャード）、白いんげん豆（ポロト・ベルデ）など

今はもっぱらパン食に変わり、農村では木の灰で焼く固いパンを食べるそうだが、今日は「ソパイピージャ」という揚げパンをつくってくれた。油の入った深鍋に成型した生地を放り込む。数分もたたないうちにきつね色に揚がった熱々の揚げパンをすくって差し出してくれた。フワフワした食感にオレガノの風味が食欲をそそる。美味しさの秘密は揚げ油にあった。植物油にラード（豚脂）を混ぜることで、油切れがよくなるのだという。

メルセデスは揚げる手を休めずに、話を続けた。

「〝ポロト・コン・リエンダ〟という、豆の煮込みに麺が入ったスープもよく食べる。豆の煮汁で根菜と肉を煮る。豆とかぼちゃの少し煮崩れたでんぷん質があるからポタージュっぽい仕上がりになるの。豆とかぼちゃは相性がいいので、たいてい一緒に入れるわ」

その日メルセデスがつくってくれたのは、ポロト・コン・リエンダの改良版。麺と肉は入らず、大量のにんにくとタイムをすりつぶしてスープに加える。にんにくの濃厚な風味とコクが、豆の旨みをいっそう引き立てていた。

料理に使った豆について聞いてみた。彼女が自家採種する豆は「パジャール」という白花豆と、「ポロト・コン・マンテカ」といういんげん豆の2種類。

上／丸麦といんげん豆を煮ただけの「ポロト・コン・モテ」
下／揚げパン「ソパイピージャ」。ゆで卵、イタリアンパセリを散らして食べる

意外に少なかったが、どちらも祖父の代から100年ほどタネを継いできた在来種だという。マンテカとは、スペイン語で脂肪やバターの意味だから「こってりした豆」と訳せそうだ。

おふくろの味がずらり、ポットラックパーティー

思いがけないサプライズがあった。マプーチェ版「豆料理のポットラックパーティー（持ち寄りパーティー）」だ。すごい！　まさかこんな心にくい、気の利いたもてなしを受けるなんて感無量。実行委員長は、ＩＮＤＡＰのビクター・ヘルナンデス（Victor Hernandez）。これだけの人と料理が集まったのは、彼の人脈と尽力の賜物に尽きる。きっと、村人はふだんから彼にお世話になっているのだろう。だか

らここぞというときに、労をいとわず協力してくれるのだ。

会場に到着すると、テーブルの上には大きな鍋や皿がどかんと並んでいた。集まったのは総勢40人ほど、登場した料理は19品。会場はマプーチェの民族衣装を身にまとった肝っ玉母さんのような女性たちで埋め尽くされ、熱気がみなぎっていた。わたしのふるさとである北海道遠軽町で、農家の豆料理の持ち寄り会を開いたときの雰囲気とそっくり。国や人種を超えて「手づくり」の雰囲気は共通するものだと、つくり手と料理にただただ感動するのだった。

まず、わたしの自己紹介と、ここに来た目的を説明する。歓迎の笑顔がうれしい。50代くらいの女性がわたしの隣に並ぶ。今回の立役者ルーシー・フエンチュン（55歳）だ。彼女の料理は「トルティ

マプーチェ版「豆料理のポットラックパーティー」に感激！

ージャ・デ・パジャール」という白花豆のオムレツ。茹でた白花豆に卵と人参、アセルガ（日本でいうフダンソウ）を混ぜて焼いた料理で、エクアドルの「ポロト・ピージョ（豆の卵炒め）」という料理と似ている。

ルーシーのところでは、「パジャール」「ポロト・ハジャード（うずら豆）」「ポロト・ベルデ（白いんげん豆）」など、常時5種類の豆を自家採種していて、どれも彼女が生まれたときからすでにあったというから、タネを継いで軽く60年は経つことになる。ポロト・ベルデのように、タネとして豆は採るものの、食べるのはもっぱら若い莢というものもあった。

今回の料理に使ったパジャールをよく見ると、ん？　数粒、白い豆に紫色の豆が混ざっている。白花豆はもともと紫花豆が突然変異でできた豆で、自家採種を続けると先祖返りするからだろうか。こうした現象は、北海道の在来種、貝豆でも同じようなことが起きる。色素に含まれるポリフェノール、カテキン、アントシアニンなどには抗菌作用があり、色が濃くなるほど病気に強くなるから、豆は体力をつけるために、色をつけていくわけだ。

マプーチェの味はシンプルさが身上

ルーシーの母ロース（82歳）の豆料理は、40センチはあるオーバル型の素焼き鍋いっぱいの「白いんげん豆のスープ」。マプーチェの伝統調味料「メルケン（スモークされた辛くない赤唐辛子の粉に、塩やスパイスを混ぜたもの)」を油で炒ったソースが、仕上げにかけてある。この表面が赤く染まったコクのある豆スープには、手づくりの大きなチョリソー3本が中央に鎮座している。

鍋の横に置いてあった現物の豆は、白いんげん豆かと思いきや、うっすら黄緑の斑紋がついている。豆の筋が透けて見えるほど皮が薄い。どうりで豆がとろけるようにやわらかいと思った。この筋が透けて見えるほど皮の薄い豆は、食べたら最後、口当たりがよくたちまち人々を虜にする魔性の豆なのだが、ここにもあったかと一人、ほくそ笑んでいた。

それから豆料理ではなかったが、気になるマプーチェの伝統料理を見つけた。「カトゥト」という、丸麦のしとぎ風だ(日本でいう「しとぎ」とは、生の米を水に浸けてから粉にしてかためたもの)。

上／ロースがつくってくれた「白いんげん豆のスープ」　下／マプーチェの伝統料理「カトゥト」をつくってくれたフアナ

つくり手はフアナ・フエンチュアル（Fuana Huenchual、63歳）で、丸麦を茹でてつぶし、塩を加えて木の葉型に成型するだけのごくシンプルな料理だ。もともとマプーチェの主食として知られているが、食べる頻度もつくり手もめっきり減って、伝統食離れが進んでいると嘆いていた。餅に似た素朴な味がわたしは好きだが、味も素っ気もないから、ご飯と同じでおかずが欲しくなる。パンよりもはるかに食べ応えがあり、今どきの若者があまり好まないのもわかる気がする。

　彼女たちの豆料理は、材料や調味料はだいたい似たり寄ったりで、煮込みの具材は、玉ねぎ、かぼちゃ、じゃがいも、人参、コリアンダーなど。味付けは塩ベースで、香味野菜やにんにくを使う。赤唐辛子、自家製メルケン、オレガノやクミンくらいは使うが、あとはコショウもほとんど入らない。当然ながら化学調味料も不使用。また「ポロト・コン・アロス（豆と米の煮込み）」「ポロト・コン・リエンダ（豆と麺の煮込み）」という料理名があるように、豆と米、豆と麺を組み合わせることも多い。

　驚いたのは、豆サラダが意外に多かったことだ。マプーチェの伝統料理ではないが、裏を返せばサラダは今や、彼らの日常食として定着していることになる。ドレッシングは、日本や欧米のようにバリエーションはなく、植物油、塩、レモン汁と、いたってシンプルなものだった。

　このポットラックパーティーのおかげで、マプーチェの日常の豆料理、伝統料理までも、たった数時間で一気に知ることができた。そしてこんなに多くのつくり手から話を聞くことができるなんて。思ってもみなかった幸運に感謝した一日だった。

＼中南米編／

ベネズエラ

動乱の国で、タネを継ぐ人たち

非常事態下のようなベネズエラにて

わたしが訪問した２０１５年９月のベネズエラでは、インフレ率１０８・７％というハイパーインフレが常態化していた。コーディネーターのマリア・エレナ・モロス (Maria Elena Morros) から「現地通貨は紙切れ同然だから、入国する前に米ドルを多めに両替しておいてちょうだい。公式レートはとんでもなく高いからすべて米ドルで払うように。それと、クレジットカードは絶対使わないように」と忠告された。

毎日が非常事態のような首都カラカスでは、まともな生活ができるはずもなく、当然のように窃盗、殺人が多発。午後、薄暗くなると早々に店は閉まり、人影まばらの街はゴーストタウンと化していた。スーパーマーケットでは連日、主食のトウモロコシ粉や油などの食料品を買い求める客が長蛇の列をなす。

治安も経済状況も最悪のベネズエラで、果たして取材が成り立つのか。気が気ではなかった。だがマリアは、ベネズエラの農業研究機関「ＩＮＩＡ（Instituto Nacional de Innovación Agraria；国立農業試験場）」で豆の研究者だった人。わたしが出会った時はすでにリタイアしていたが、現場の農家と、ことあるごとに相談に乗る親身な付き合いを続けていた。こうした彼女のネットワークのおかげで、ベネズエラのみならず、キューバやメキシコの調査も実現したのだった。

村全体が、豆のジーンバンク

ベネズエラ北西部の都市バルキシメトから南西へ66キロ、モンテ・カルメロ（Monte Carmelo）村のタネを継ぐグループを目指す。マリアいわく「タネを継ぐプロジェクトは、２０１２年にウゴ・チャベス前大統領（当時）が推進して、当初は政府からの資金援助もあったけれど、今は援助も断ち切られ、終わってしまったの」。それでも有志メンバーで活動を続けているというから、気概ある農家たちであることは間違いない。

最初に訪ねたのはメンバーの一人、ファン・タマヨ（Juan Tamayo、65歳）だった。牛乳パックのような紙の箱に、乾燥したリマ豆が莢ごと保管してある。莢を開くと赤と白の斑模様の豆が美しい。彼は

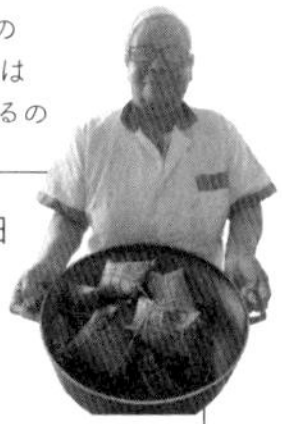

トウモロコシ粉の
蒸し物「クアホ」は
行事の時に食べるの

基本情報		
	首都 カラカス	**旅した期間** 2015年9月18〜23日
	主要産業 通信業、不動産業、石油事業、製造業（食料、プラスチックなど）	**訪れた場所** カラカス、モンテ・カルメロなど
	言語 スペイン語（公用語）および先住民族の諸言語	**出会った豆** リマ豆（パスパサなど）、えんどう豆（アルベホン、カラ―デ・チボなど）、黒いんげん豆か黒ささげ（カルメリアなど）、樹豆（グァンドール）、ベビーライマ（リマ豆の小粒版）、いんげん豆（ワイル―ロなど）、フジマメ（チバーダ）、グリーンピースなど
	通貨 ボリバル	

この豆を「パスパサ」と呼んでいた。赤いリマ豆もある。

ほかには「アルベホン」というへそに黒点があるえんどう豆、「カラ・デ・チボ（やぎの顔）」というえんどう豆、そして「カルメリア」という黒いんげん豆か黒ささげ。黒い豆が一番種類が多い。さらに彼らが「キンチョンチョ」と呼ぶグァンドール（樹豆）もあった。毎年10月29日に開かれるタネの交換会で、いろいろなタネを入手し、つないでいるのだそうだ。

「えんどう豆は若いのも、乾燥したのも両方食べるよ。若いのは冷凍しておく。乾燥したのは肉との煮込みが多いかな」と食べ方を教えてくれた。

日本で「とおし」と呼ぶ、豆のゴミを落とすふるいでは、黄緑色のいんげん豆らしきものを選別中だった。家の入口には木製のついたてがあり、そこにビニールの小袋に入った50グラムほどの豆が画鋲で留めてある。交換するためらしい。そういえばこの村の農家は皆、自宅前に育てている豆（タネ）を小袋に入れてディスプレイしてあることに気づいた。まるで家宝のように、数十種類ものカラフルな豆やトウモロコシのタネが家々の前に並ぶさまは、実に圧巻だった。ファンの畑は斜面にあって、青々したえんどう豆のツルが麻糸に巻き付いている。コロンビアでも山の斜面に糸を張り、豆のツルを這わ

話を聞かせてくれたフアン。自宅前に、育てている豆（タネ）を小袋に入れてディスプレイ

せていた光景を思い出す。畑の横では牛堆肥と植物残渣が、ビニールに覆われて発酵中だった。

兄弟でタネを継ぐ豆は60種以上

次に訪ねたメンバーは、兄弟でプロジェクトに取り組んでいる弟のガブリエル・ガルシア（Gabriel Garcia、55歳）と、兄のホセ（65歳）。ここでもえんどう豆、いんげん豆、グァンドールなどが、採種地も記されてビニール袋に入れて飾ってある。

えんどう豆7種、グァンドール5種、リマ豆4種、ベビーライマ（リマ豆の小粒版）が9種、ささげといんげん豆が18種。ほかに家畜の餌となるチバーダ（フジマメ）が3種ある。チバーダの若い葉っぱは香りがよく甘いので、人間も食べるという。

ガブリエルたちが所有している豆は、なんと62種！　すべて自家採種でゆうに50年を超す豆もあるという。ここまできたら、もうジーンバンクだ。

目を引いたのは、まるで絵の具を塗ったかのようにビビッドな朱色の豆だった。黒と朱色の斑紋のある2種を含めると、全部で3種ある。これは「ワイルーロ（Huayruro）」というマメ科の木の実だが、フリホール（いんげん豆の意味）と書いてあった。インカ時代からあるペルーの先住民の装飾品やお守りとして使われ、薬としての用途もあるそうだ。日本でも最近、幸運を呼ぶアクセサリーの豆として出回っている。

展示している豆はガラス瓶におさめられ、棚にずらりと数十個は並んでいた。ガブリエルが牛乳パックのような紙の箱をもってきた。リマ豆が莢ごと入っている。「これもだ」と見せてくれたのは、ガラス瓶に入ったフジマメ。よく見ると松の葉や木の灰が混ざっている。虫除けのためだ。

今度は冷凍庫から、ガブリエルがビニール袋を持ってきた。何だろう。カチカチに凍った若いえんどう豆、グリーンピースだった。「サラダで食べるんだ。まだ青い時、多めに収穫して冷凍しておくのさ」。

今回訪問した農家は皆、冷蔵庫を持っていたので、豆を冷凍保存してサラダで食べるのは、ごく一般的なことらしい。あとは主食の「アレッパ（すり潰したトウモロコシからつくる薄焼きパン）」につける、黒い豆の煮豆「リフライドビーン（キューバのところで後述）」としても食べる。そのほか煮込みや豆ご飯で、ほかの国でも似たような食べ方だった。

上／話を聞いたガブリエル。所有している豆は、なんと62種！
下／保存する豆は、虫除けに松の葉や木の灰を入れている

豆の種類の多さでいうと、フアンもガブリエルも黒い豆、次にリマ豆だという。彼らがいうには「収量があり病気や虫に強いから」。そうか、これらはつくりやすい豆なのだ。

すぐ近くに彼らの事務所があった。といってもタネの展示スペースやミーティングスペースを兼ねる、公民館のような場所だ。ウゴ・チャベス前大統領の写真がひときわ目立つ。ガブリエルの兄ホセは、世界的な小農団体「ラ・ヴィア・カンペシーナ」にも所属している。スペイン語で「農民の道」を意味し、1992年に設立された、主に小規模農家から成る農業従事者の世界的組織だ。自らの土地で食料を生産する権利を指す「食料主権」という概念を用い、小さな農民組織（小農）の連帯と協力を発展させることをねらい、活動をしている。彼らの活動は、この団体の支部のような機能を持っている

ようだった。

ベネズエラの女性グループのつくる豆料理

この村には女性グループがあり、農村における女性の役割と地位向上につなげる活動の一環として、加工品の製造販売を行っている。彼女たちに、豆料理4品をつくってもらうことができた。

まずは豆ご飯。台所に行くと〝もやし〟がある。「ベネズエラでも、もやしを食べるのか！」とちょっと驚いていたら、発芽させたレンティル豆だった。中南米で発芽させた豆を使う料理に出会うのは、とても珍しい。

Cooking

レンティルスプラウトのご飯（**もやしご飯**）

レンティルを発芽させ、スプラウトにする。長ねぎと赤唐辛子を植物油で炒める（別の料理に使うので一部を取り分けていた）。さらにアセルガ（日本でいうフダンソウ）、ブロッコリーを入れ、さらに米を入れて炒める。発芽レンティルと水、塩を加えて15分くらい加熱してできあがり。

次は、クアホ（Cuajo）という、トウモロコシ粉をバナナの皮で包んで蒸した、しとぎ風。宗教がらみの儀式で食べる行事食である。

Cooking

クアホ・カラオタ（リマ豆とトウモロコシ粉の蒸し物）

白と黒の斑模様のリマ豆を使う。豆は煮ておく。長ねぎと赤唐辛子の炒め物（「レンティルスプラウトのご飯」でつくったもの）に、煮た豆を加える。トロミ付けのため、トウモロコシ粉に水を加えてドロリとさせたものを混ぜ、さらに炒める。これがクアホの具材となる。

石灰処理したトウモロコシ粉（マサを乾燥させたもの）に水を混ぜて生地をつくり、バナナの皮を広げた上で円形に成形する。先ほどの具材を盛って包み込むように丸めたら、バナナの皮に包んで30分蒸す。

3品めは、えんどう豆の炒め物。料理自体は何ということはないが、特別なのはこのえんどう豆がアルベホンという在来えんどう豆だったこと。白地でへその周りが黒いこの豆は人々のお気に入りらしく、この村でよく見かけた。

Cooking

えんどう豆の炒め物

えんどう豆はあらかじめ煮ておく。長ねぎと赤唐辛子の炒め物（「レンティルスプラウトのご飯」でつくったもの）、さいの目に切った調理用バナナ、煮た豆を混ぜて炒めて完成。調味料は塩と市販のスパイスミックスで味付けしていた。

4品めも、特筆すべきことはない豆と野菜の炒め物。白いんげん豆は、粒の形から日本の手亡のようだったが、それより皮がやわらかかった。

Cooking

白いんげん豆の炒め物

煮た白いんげん豆、長ねぎ、赤唐辛子、人参を加えて炒める。これも市販のスパイスミックスと塩で味付けする。

できあがった4品はワンプレートに盛って、市販のキャッサバ煎餅の上に載せて食べる。この煎餅はキャッサバでんぷんを薄く平らに延ばして、油をひかずに焼いたもの。コロンビアのカスアリットでも、すりおろしたキャッサバから取ったでんぷんを、かまどで焼いていた。熱々で表面カリッ、中はもっちり。自家製は市販品の比ではない。

食事の時は、自家製ドリンク「チチャ」がでてきた。少しドロッとしていて黄色いスムージーのような飲み物だ。中南米の農村では、乾燥とうもろこしを挽いて水を加え、数日発酵させてから、シナモンや砂糖を混ぜて飲む習慣がある。でも今日のは酸味がなかった。発酵させないチチャは、何となく

上／できあがった４品（レンティルスプラウトのご飯など）をワンプレートに。キャッサバ煎餅に載せて食べる　下／「クアホ・カラオタ」。生地にラードを混ぜることが多い

日本の甘酒に近い感じだった。

今回の旅では当初、首都カラカスで感じた殺気立った空気を、不思議なほど地方では感じることはなかった。人々は、ほぼ自給生活に近いせいか、食べ物に困っているふうでもなく、寛容で温かい人たちばかり。運がよかったと脳天気に安堵していたが、はたと気がついた。

この非常事態のベネズエラで事故もなく、実り豊かな取材ができたのは「運がよかったから」ではない。コーディネーターのマリアと、現地の人たちとの仕事を超えた信頼関係あってこそ、なのだ。わたしの知らないところで手を尽くし、労を費やしてくれた人たちのことを迂闊にも見落とすところだった。彼らの深情に、ただただ深謝。

＼中南米編／

キューバ

有機農業の国で食べる、ふだんの日の豆ご飯

キューバの代表的豆ご飯2種

向かった先は首都ハバナから西へ１６０キロの都市、ピナル・デル・リオ（Pinar del Rio）にあるラ・パルマ（La Palma）という町で有畜農業を営むアウグスティン・ピメンテル・ナヴァロ（Agustin Pimentel Navarro、64歳）の家だった。私たちが着いたとき、彼は畑で牛を引き、土を耕していた。畑から戻ってきたアウグスティンは、端正な顔立ちに寡黙な雰囲気を漂わせ、思慮深く礼儀正しい。彼の家では有機農業を学ぶ国内外の研修生をしばしば受け入れるらしく、小さな民宿を運営していた。たった数日の滞在だが、彼の妻マリア・ヴァリド（Maria Valido、56歳）から手料理を教わったり、キューバの日常を見られたりするのはありがたい。

「ふだん食べている豆料理って何ですか？」。わたしが取材で決まって最初に尋ねる質問に、中南米ではたいてい以下のような答えが返ってくる。

一番多いのは煮豆だ。といっても甘くはない。「リフライドビーン」という豆ディップにして、トウモロコシ粉でつくるトルティーヤやアレッパなどのパンに付けて食べる。リフライドビーンとはいんげん豆を一晩戻し、タイムやにんにく、塩などを入れて煮た後、ペースト状にしたもの。いわば甘くないあんこだ。数日分つくり置きして冷蔵庫で保管するが、食べる時はフライパンに油をひいて炒める。「リフライド」の名はここに由来する。

ほかに肉や野菜との煮込み、そして豆ご飯にすることも多い。

キューバでは豆ご飯を、使う豆によって違う名前で呼ぶ。ひとつは「アロス・モロス・イ・クリスティアノス（arroz moros y christianos）」だ。

黒いんげん豆や黒ささげの入った豆ご飯で、直訳すると「ムーア人（北西アフリカのイスラム教徒の意味）と、キリスト教徒のご飯」。ルーツは明らかでないが、アメリカ南部、カリブ海諸国、ブラジルでも食べられている。

もうひとつが、赤いささげか赤いんげん豆を使った「コングリ（congri）」。キューバ東部の、粘りのないパラパラした米でつくる豆ご飯で、ぱっと見は日本の赤飯だ。だがハレの日ではなく、日常の豆ご飯である。

豆は、大きなペットボトルで保管。上までパンパンに入れると虫がわかない

基本情報

首都 ハバナ

主要産業
観光業、農林水産業（砂糖、タバコ、魚介類）、鉱業（石油、ニッケルなど）、医療・バイオ産業

言語 スペイン語

通貨 キューバ・ペソおよび兌換ペソ

旅した期間 2016年7月6～10日

訪れた場所 ハバナ、ラ・パルマなど

出会った豆
いんげん豆（ラグリマ・ロッハ、カバレラ・ガラード、ヴェラスコなど赤、白、黒い豆あり）、薄茶色のいんげん豆（カルド・デ・ポジョ）、うずら豆（ガラード・ロッホ）、樹豆（グァンドール）、リマ豆、ささげ、白いなた豆（カナバリア）など

赤い豆ご飯はニカラグアにもあり、農家に泊まったとき「ガジョピント」と呼ばれる赤い豆ご飯に、目玉焼きと、バナナのフライがのっかった朝ごはんが出てきたが、これも日本の赤飯や小豆ご飯とは、まったく似て非なる味だった。

スパイシーな豆ご飯を実食

滞在先の農家の近所に住むソイタ・プラセンティア・ロペス（Zoita Placentia Lopez、51歳）に、豆ご飯をつくってもらった。ソイタの家は木造で、屋根の建材にヤシが使われていた。台所には炊飯器などの電化製品はあるものの、火力は薪のかまどがメインのようだ。水道はなく、素焼きの大きな甕の水を飲料水にしている。こうした家では台所の窓のところに作業台のような出っ張りがあり、そこで食材を切ったり、食器を洗ったりする。野菜や肉のくずはそのまま地面に落とし、それを家畜や犬、鳥が食べるか土に還る。

Cooking

アロス・モロス・イ・クリスティアノス（黒いんげん豆のご飯）

黒いんげん豆を数時間浸水させ、白米は洗っておく。石のすり鉢に、クミン、赤唐辛子と青唐辛子をひとつずつ、にんにく、塩を入れてつぶす。大きなアルミの鍋に油をひき、先ほどのつぶしたスパイスと香味野菜を炒め、油に香りがついたら、豆と米を入れてさっと炒める。水を加えて20～30分加熱。炊き上がったら、ねぎを混ぜて平皿に盛ってできあがり。

にんにく風味のきいたスパイシーな豆ご飯で、パラパラしていて消化がいい。わたしでも、どんぶり一杯は軽く食べられる。

ソイタに家にある豆を見せてもらう。5リットルのペットボトルいっぱいに入った、黒いんげん豆と赤いささげ。10リットルのタンクには、白いんげん豆も入っていた。日本の手亡豆にそっくりだ（豆は虫喰いだらけだったが）。

それから日本でいう「パンダ豆（黒い偏斑紋のあるいんげん豆）」に似た、白と黒の斑のある黒い豆も見せてくれた。庭にあるという畑を見せてもらうと、葉っぱの形状がいんげん豆より尖っている。リマ豆だ。日本のリマ豆と違いぷっくりしていて、小さく、へそのまわりが黒い。たぶん在来種のベビーリマだろう。

上／ソイタがつくる「アロス・モロス・イ・クリスティアノス」
下／在来種のベビーリマらしき、白と黒の斑模様のある黒い豆

キューバの豆好き篤農家、フランシスコに出会う

豆が好きでつくっているという農家、フランシスコ・ヴァリド（Francisco Valido、59歳）に会うことができた。

常時7種類の豆を、自給用でつくるという。いんげん豆の「ラグリマ・ロッハ」、赤いんげん豆の「カバレラ・ガラード」、薄茶色のいんげん豆の「カルド・デ・ポジョ（煮るとピンクになるらしい）」。うずら豆の「ガラード・ロッホ」、赤いささげかいんげん豆の「ヴェラスコ」、そのほか名無しの白いんげん豆と黒いんげん豆、そして「グァンドール（樹豆）」だ。

「なんで7種もつくるの?」と聞くと、「豆は毎日食べるので、いろいろな味を楽しみたいから」と、豆好きらしい答えが返ってきた。妻のオルガが「彼はコングリをこれで食べるんですよ」と、直径30センチはあろう大きな洗面器のようなアルミ容器をもってきてくれた。ヒョロヒョロした細身の体からは、とても想像できないほどの大食いだ。

グァンドールについて話が及ぶ。「この地域では昔からある豆だけど、〝貧乏人の豆〟といわれてイメージが悪いんだよ。コロッケやサラダにすると美味しいけれどね。僕は12人兄弟という大家族で、ふだん肉はそんなに食べられなかったから、母はこの豆でスープやコングリをつくってくれた。肉の代わりって感じかな」。

中南米では比較的定番で、よく食べられている豆なので、フランシスコの話はちょっと意外だった。ほかにもグァンドールの木の新芽を煮だして、毎朝9日間続けて飲むと腹痛が治るという話も聞けた。

フランシスコは、地元の学校で食育活動を行っている。2008年にピナル・デル・リオを襲った

話を聞いたフランシスコはやせの大食い。大きな洗面器のようなアルミ容器でコングリを食べる

台風の被害で、周辺農家が壊滅的な被害を被り、多くのタネが消失してしまった時のこと。幸い、彼がつくり続けていた7種の豆は難を逃れたため、政府から「タネを分けて欲しい」という依頼があり、それをきっかけに豆の栽培などの指導を始めたのがきっかけだという。社会主義国キューバではソビエト連邦崩壊後、自国での食料増産を余儀なくされ、自給作物の確保が至上命題となっている。

彼のように自分たちが食べるために淡々と畑を耕し、タネを蒔き収穫し、そしてタネを採る。こうした循環型農業に、国からも熱い視線が向けられているが、当の本人はどこ吹く風。「自分たちが食べるものは、お金という物差しではかれない」という価値観が根づき、自律した農業を営んでいるのだった。

姉妹で運営するジーンバンク

今回の取材地、ラ・パルマには「ジーンバンク」があるという。しかも姉妹で運営しているというから見逃すわけにはいかない。さっそく、コーディネーターのヨアンにアポイントメントを取ってもらう。

プラシーダ・アルダス・クルス（Placida m Aldaz Cruz、70歳）とバシリレ・アルダス・クルス（Basilire m Aldaz Cruz、64歳）の姉妹、その母マリア（90歳）が出迎えてくれた。自宅の敷地内に小さな倉庫のような建物があり、さまざまなタネを保管している。「ジーンバンク・タネの多様性」と段ボールに赤いサインペンで書かれた看板が目にとまった。

「２０００年に政府の援助で設立したのですが、すぐにお金が途絶え、翌年から私たちだけでやりくりしなければならなくなったんです。豆だけで２８６種、ほかのタネを入れると３００種以上はあるでしょうね。管理は私たちだけだから、正確な数字は把握できていないの」

持ち込んできた人の名前や日付などが書き込まれたノートやメモがあちこちに散在している。タネを持ち込んだ人の数は軽く２００人を超えるだろう。が、彼女のいうとおり、現状を把握しきれていないことが容易に見て取れる。把握ノートを見ると「ネグロ（黒）」が大半を占める。きっと「フリホール・ネグロ（黒いんげん豆か、黒ささげのこと）」だ。

上／保存されているのは圧倒的に黒い豆が多く、白いなた豆「カナバリア」もある　下／私設ジーンバンクで話をするプラシーダ

肝心の豆は小さなガラス瓶におさめられ、それぞれに豆の名前が書いてあり、整然とディスプレイされていた。やはり圧倒的に黒い豆が多く、全体の9割はあるだろうか。ほか、茶色・白色・赤色のいんげん豆、ペットボトル入りのカナバリア(白いなた豆)もある。部屋の隅にある大きなアルミタンクや、プラスティックケース、ペットボトルにも、タネが保管されていた。

そのまわりにはこのジーンバンクを取り上げた雑誌や新聞の切り抜きや写真が置かれ、若かりし頃の2人と年配の男性が映る写真が大きく引き伸ばして貼ってあった。どうやらその男性が、タネ継ぎの師匠らしい。

２０１０年は大きなタネの交換会を主催するなど、地道な活動を続けている。ただし2人とも60代を超え、ここを次の世代に受け継ぐことが大きな課題だといっていた。経済封鎖の影響もあり、食料を自前で確保しようとする流れとも相まって、キューバでは「タネを守る」活動の気運は以前よりも高まってきているようだ。

＼中南米編／

アルゼンチン

お菓子に飲み物に薬に、愛すべきいなご豆を使い切る

肉食の国では豆を食べない？

「アサード（スペイン語で「焼く」を意味するバーベキュー料理）のない人生はない」といわれるほど、アルゼンチンはだんぜん肉食の国。老いも若きも、家族や友人が集う週末には屋外で豪快に肉を焼き、大きな骨付き肉にかぶりつくさまは見ていて気持ちがいい。

では肝心の豆料理は？　今回のコーディネーター兼通訳の日系アルゼンチン人、翁長モイヤスさんに聞くと「豆はほとんど食べない」とにべもない。念のため数人に聞いてみたが、都市部はやはり肉食中心なのだった。そこでＪＩＣＡのアルゼンチン事務所に問い合わせたところ、「サルタ州は豆の生産地なので、おそらく豆を食べているでしょう」。そうか、ならばサルタだ。迷っている時間はない。即

農村では、自家製の粘土窯でパンや肉を焼く

基本情報

首都 ブエノスアイレス

主要産業
農牧業(油糧種子、穀物、牛肉)、工業(食品加工、自動車)

言語 スペイン語

通貨 ペソ

旅した期間
2016年8月4～10日

訪れた場所
ブエノスアイレス、サルタ、カチ、サン・カルロスなど

出会った豆
白花豆(パジャール、ポロト)、グリーンピース、いなご豆など

決した。

首都ブエノスアイレスから北西へ飛行機で2時間あまり、アンデス山脈の麓にあるサルタ州に到着した。8月のアルゼンチンは冬の時期だが、年間を通して温暖で乾燥していて過ごしやすい。翁長さん、地元役場の職員ミラグロ・ロペス(Milagro Lopez、英語でミラクルの意)、同じくスタッフで先住民のダリオ、ドライバー、そしてわたしの総勢5名で訪問先のカチ市にある村へ出発した。

高原地帯でいんげん豆料理を堪能

見渡す限りサボテンが点在する道をひた走り、州都サルタを発って2時間半後の夜8時、ようやく標高2、500メートルのカチ村に到着した。道路に電灯はなく民家もまばら。すでにあたりは真っ暗だ。村人は待ちくたびれた様子で私たちを迎えてくれた。マジックで、村の名前と「ようこそ!」と書いた張り紙が目に入る。心のこもった歓待がしみ入る。

「さあさあ、お腹も空いているのでまず食事にしましょう!」と、マダムのマクダレナ(45歳)が料理を温め直して盛り付けてくれた。

白花豆とグリーンピースを散りばめた食卓に、豆料理が用意されていた。白花豆のそばには大きな瓶が２つ鎮座し、その中には「エスカベッチェ」という白花豆のマリネが入っていた。「グリーンピースの炊き込みご飯」はパエリア風、「白花豆とじゃがいものサラダ」もある。メインディッシュはやぎ肉の煮込み。ヤギ肉はたぶん、天井にぶら下がっていた干し肉を水で戻して調理したものだろう。肉の出汁がきいている。

そこに直径20センチくらいのどっしりしたパンを、銘々でちぎって食べる。表面はかたいが噛むほどに味わい深くとても美味しい。自家製の粘土窯「オルノ・デ・バロ」で焼いているという。農村ではたいてい、泥と干した植物を混ぜてつくった窯で、肉やパンを焼くのだった。さらに自家製チーズ

上／右上が茹でた白花豆のサラダ。アンデスのじゃがいも、茹で卵などをマヨネーズであえてある。手前は自家製のパン　下／「モテ」のトウモロコシは粒が大きいのが特徴。このときは黒と白の２色があった

と、白と黒の「モテ」もある。モテはとうもろこしを茹でたもので、アンデスでは主食や軽食に、チーズと一緒に食べることが多い。

この地域担当のダリオに、ここの豆について聞いてみた。「この辺一帯は寒いので〝パジャール〟と呼ぶ白花豆が栽培に向いている。年間１２５トンを生産しているが、ほかの豆はあまりとれないんだ。だけど自給用に、そら豆、いんげん豆などもつくる。収量がなくてもかまわないから」

たしかに日本でも、白花豆や紫花豆などの大粒の豆（ベニバナインゲン）は、夏でも冷涼な地域でとれる。わたしの故郷である北海道北見盆地は白花豆の一大生産地だし、群馬県や長野県の高原では紫花豆が有名だ。ベニバナインゲンは開花後に30℃を超える真夏日が続くと花が散ってしまう、暑さに弱い豆なのだ。

「この辺の農家は、農薬や化学肥料を使うのですか？」と問うと、「あまり使っていないよ。ヤギや鶏などの糞を堆肥にしたり、草木灰を希釈して虫除けに散布したり、にんにくを植物のまわりに置いたりする。お金をかけずに、身近な自然素材を使っているだけかな。販売用といっても、自分たちも食べるしね」

そうか。彼らは自家用を基本にしているから、自分たちが食べたくないような栽培はしないのだ。結果としての有機農家という、実にまっとうな農業を営んでいるのだった。

白と黒のいなご豆で用途が違う

カチから南南東へ130キロ、サン・カルロスへ向かった。そこは、先住民世帯。思いもよらない豆の産地だった。その豆とは、スペイン語でアルガロッボ(algarrobo)、英語でキャロブ、「いなご豆」。茶色に乾燥した莢はほんのり甘く、イタリアでは莢ごと軽食やおやつに食べる。また、カフェインレスコーヒーやココアの代用品、菓子の材料にもされている豆なのだった。ダリオによれば、チャチョという地域がいなご豆の産地だそうだが、ここがチャチョなのか、うっかり聞きのがしてしまったのが悔やまれる。

いずれにしても、いったい、いなご豆がどのように使われているのか、先住民の暮らしや伝統を継承すべく地域で活動をするフリエッタ・アンへリカ・ヤニェス(Julieta Angelica Yañez、38歳)と、アンドレア・セリア・ロサス(Andrea Celia Rosas、32歳)の2人に聞いてみることにした。

「いなご豆には白と黒、それから紫があって、実がとれるまで11年かかるの。どちらも粉にして使うことが多いわ」

いなご豆には白と黒と紫があり、それぞれに用途がある。それだけではない。このあと2人は、実にユニークでバラエティに富んだいなご豆(ここでは白と黒のいなご豆)の使い途を話してくれた。

「いなご豆が完熟したら、乾燥させて莢ごと粉にします。粉の用途は多岐にわたっていて、ほんのり甘い粉をそのまま食べたり、牛乳や水を入れてドリンクにしたり。黒いいなご豆の粉（スペイン語でアニャッパ：anapa）に水や牛乳やヨーグルトを混ぜたり、これは〝ラ・ウルパーダ〟というの」

「ほかにも黒いいなご豆粉のお菓子〝パタイ〟があるわ。粉をオーブンで焼いて少し溶けたら冷まして固めて、クッキーみたいにしたもの。とうもろこし粉に混ぜてパンにもする。白いいなご豆ではつくらないけどね」

「白いいなご豆のドリンクを発酵させたのもあるんですよ」。発酵飲料、これは興味深い。つくり方を聞いた。

上／フリエッタが民族楽器のボンボで「いなご豆の歌」を演奏してくれた　下／いなご豆の白（写真上）と、黒（写真下）

Cooking

アロハ（白いいなご豆の発酵飲料）

完熟し乾燥させた白いいなご豆を、洗って莢ごと水に浸ける。翌日、ふやけたいなご豆をちぎって、いなご豆の糖分が溶け出しやすいようにする。そのまま3日間ほど置くとぶくぶく発酵してくるので、いったん漉し、さらに白いいなご豆の粉を足す。ドロリとしたらできあがり。

重要なのは気温で、発酵させるのに30℃以上は必要なため、真夏だけの発酵飲料だという。

「整腸作用があって、98歳で亡くなったわたしの祖母はこれを毎日飲んでいたわ。だから長生きしたのかもしれない。発酵してから7日間置けば、いなご豆のお酒もできます」。とフリエッタは語る。日本でいえば甘酒みたいなものだろう。夏バテ防止にもなりそうだ。

「かぜをひいたときの熱冷ましとして、黒いいなご豆を煎じたものを母が飲ませてくれたわ。木の皮はお茶にしていた。たぶん体にいいのだと思います。あ、そうそう、薬というわけじゃないけど、おもしろい言い伝えがあるのよ」、フフッとフリエッタが、ほほ笑んだ。

「いなご豆の木がまだ低木のころ、幹の若く青い部分に子供の足の裏をくっつけると、出べそが治るというの」

出べそに効くいなご豆か。でもいったいなぜこの言い伝えが生まれたのか謎だ。とても気になる。

白いいなご豆を製粉する際、一番最初にできる粒子の細かい1番粉と、次の2番粉は人間が食べ、3番粉からは家畜の餌にする。さらに、莢の中の子実は殺虫剤にも使うし、樹液を煮出して染色剤にもするのだそうだ。すごい。ここまで使い切ればいなご豆も大往生だ。これほどまでに多岐にわたるいなご豆の使い途と、今なおそれを暮らしに受け継ぐ若い女性たち。いなご豆への深い愛なくして語れない。

別れ際にフリエッタが「いなご豆の歌があるの」と、民族楽器のボンボという太鼓を出してきた。乾燥していてうまく響かないボンボに、はあ、はあと何度も息を吹きかける。「これから叩くわよ」という合図らしい。いなご豆のほのかな甘さがもたらしてくれる幸せを、表現した歌なのだそうだ。

幸せの黄色いハンカチならぬ「幸せのいなご豆」かあ。ごく普通の、ありきたりの日常に幸せを感じることができるなんて素敵だ。いなご豆が導いてくれた出会いに感謝。

＼中南米編／

エクアドル

豆は食用だけじゃない！　ゲームに使うリマ豆

アンデスの大豆「タルウィ」に再会

ペルーのところで紹介したが、アンデスの在来豆といえば「タルウィ」だ。ケチュア語でチョチョといい、エクアドルでは「セビッチェ・デ・チョチョ」という料理名で、小腹が空いたときに食べるスナックとして人気を博していた。

Cooking

セビッチェ・デ・チョチョ（タルウィのマリネ）

茹でたタルウィ、玉ねぎのスライス、さいの目に切ったトマトを混ぜる。レモン汁、オレンジジュースを振りかけて塩で味を整える。最後にコリアンダーの葉をトッピングしてできあがり。別に

露店でも人気の
「セビッチェ・デ・チョチョ」
に使う豆はタルウィ

基本情報

首都　キト

主要産業
鉱工業（石油）、農業（バナナ、カカオ、コーヒー）、水産業（エビ）

言語　スペイン語
（ほかにケチュア語、シュアール語など）

通貨　米ドル

訪れた場所
インバブラ・カントン、コタカチ、イバラなど

旅した期間
2016年7月30～8月4日
2017年9月8～15日

出会った豆
タルウィ、そら豆、リマ豆、黒いんげん豆、白いんげん豆、赤いんげん豆（カルガマントなど）、カナリオ豆、樹豆（グァンドール）など

添えたトウモロコシの素揚げ「カンチャ（cancha）」、ポップコーンを浸しながら食べる。

これはエクアドルのコーディネーター、イバン・ペラルタ（Ivan Peralta）の母ロクサナ（Roxana）のレシピ。ストリートフードで売られていたものは、ポップコーンもオレンジジュースも使っていなかった。ほかにふだんはどのような豆料理を食べているのか？　と取材した先はイバンの祖父ミゲル・ペラルタ・ブストス（Miguel Peralta Bustos、84歳）。台所に案内され、あっという間にできあがったのは豆のオムレツで、ミゲルが毎日欠かさず食べるという好物だ。

Cooking

ポロト・ピージョ（豆のオムレツ）

小さなフライパンに油をひき、煮ておいた豆（赤い斑模様のいんげん豆）を軽く炒める。卵をボウルに割り溶き、フライパンに流し入れる。ほどよくかたまったら、薬味に青ねぎを振り、塩と唐辛子で味付けしてできあがり。

このポロト・ピージョ、そら豆などの別の豆でもつくるし、アンデスのトウモロコシ「モテ」や、じゃがいもを使ったバージョンもあった。

27種もの豆を自家採種するわけは？

「27種類の豆をつくっている人がいる」。コーディネーターのイバンが淡々とした口調でつぶやく。首都キトから北東に100キロ離れた、コタカチ郊外のインバブラ・カントンに住む、ホセ・マヌエル（38歳）だという。さっそく彼のところに連れていってもらった。

マヌエルは「豆を見せましょう」といって、木のテーブルにピンクのクロスを敷き、ビニール袋に入

上／ロクサナがつくる「セビッチェ・デ・チョチョ」 下／イバンの祖父ミゲル。大好物、豆のオムレツ「ポロト・ピージョ」をつくる

った豆を並べ始めた。日本でも見かけるいんげん豆に似た、たくさんの種類の豆たち。中でも黒色や濃い紫色のいんげん豆が多数を占めている。

「なぜこんなにたくさんの種類の豆をつくっているの?」と聞くと、納得の答えが返ってきた。「豆は毎日食べるからバリエーションがほしい。それにいろいろな種類を栽培する方が虫が付きにくいし、凶作に備えて品種のバリエーションが多いに越したことはないからね」とマヌエル。なるほど多品種をつくることは、栽培上のリスク分散も兼ねているのだ。

ちなみに彼は豆だけでなく、販売用も含めて72種類も作物を栽培していて、買う食材といえば肉、魚、塩、調味料くらい。食べるものには、ほとんど困らない生活を送っている。基本、タネは自家採種だが、日曜日に開かれるタネの交換会で、豆以外にもトウモロコシ、じゃがいもなどの穀物、野菜のタネも入手して、定期的に更新しているようだ。

食べるだけではない!?　豆を使ったゲーム

さらに豆のユニークな使い道を教えてくれた。マヌエルがリマ豆を庭先からとってきた。彼は青々した若いリマ豆を齧り、苦ければゲーム用、甘ければ食用にするという。わたしも齧ってみたが、どれも青臭いばかりでさっぱりその違いがわからない。どのようなゲームなのか尋ねてみると、マヌエルは壁際にリマ豆をばらまき、手持ちの豆を壁にぶつけ始めた。落ちた場所によってばらまいた豆を獲得でき、最終的には取った数が多い人が勝ち。「ハレッタ (jareta)」と呼ばれるこのゲームは、80年ほど前に都市に住む黒人が学校や公園で始めたという。かつては毎年5月3日に開かれる「フエスタ・デ・クルス (Festa de Cruz)」というお祭りで行われていたそうだが、残念ながら今はこのコタカチでしか残っていない。ほかにもそら豆を使ったり、女性だけでするゲームもあるのだそうだ。

「別の豆ゲームを見せましょう」と次に案内されたのは、イバンの父の友人のクリスティアン・パス (Christian Paz) 宅。会社の経営者である彼の自宅は大邸宅で、大きな玄関を入ると掃除の行き届いたホテルのようなリビングルームがあり、台所もピカピカに磨き上げられている。

クリスティアンが持ってきたのは、祖母がつ

クリスティアンの家で、豆のゲーム「トリッキー・トラカ・ペリノーラ」を楽しむ

くったという小さなベージュの刺繍の入った巾着袋だった。開けると黒や緑、斑のリマ豆と、四角いサイコロが入っていた。「トリッキー・トラカ・ペリノーラ（Triki Traca Perinola）というこのゲームは4～5人で行う。最初に各自11個の豆をとり、残りはテーブル中央に集めておく。順番でサイコロをふり、出た面に従って豆を獲得したり失ったりするゲームで、最初に上がった人が勝ち。考えてみれば日本にもお手玉や小豆枕などがあるわけで、世界中を探せば豆を使った遊びはもっとあるのかもしれない。

海外では珍しい、豆の甘煮

コタカチから北東へ20キロ、イバラを目指す。アフリカ系エクアドル人、マリ・ソル（44歳）と夫ファビアン・ウサイ（Fabian Usuay、44歳）、そしてテオドール・メンデス（Teodor Mendez、55歳）に会うためだ。ファビアンとテオドールはイバンの父エドアルドのかつての仕事仲間で、彼が研究所勤務だった頃のシードプロジェクトに関わっていたという。エドアルドが、わたしの紹介と取材の目的を話すと、プロレスラーのような体格のマリ・ソルがさっそく、ふだんの豆料理をデモンストレーションしてくれた。

「カルガマント」と呼ばれる赤い斑のいんげん豆を薄っぺらいアルミの鍋で煮て、煮汁を取りだして豆だけを加熱する。水気を飛ばすと粉ふきいもならぬ、粉ふき豆状態になってとても美味しそう。味付けは塩だけ。アフリカでもよく見かけた豆の軽食というか、おやつだ。一度に鍋いっぱい炊いて、仕事場や農地へ弁当のかわりに持っていって、小腹が空いたとき食べる。

さらに海外ではとても珍しい豆の甘煮を発見！　「ポロト・コン・ミエル」といい、煮豆にハチミツか黒糖シロップをからめたもの。これはファビアンの好物で、1月と6月の豆の収穫時に、新豆の甘煮を肉を食べた後のデザートにするのだそう。ちなみに、ハチミツも黒糖シロップも農村ではたいてい自家製。いんげん豆のほか、グァンドール（樹豆）も使うらしい。豆を甘くして食べる日本の話を海外ですると、たいてい苦虫をつぶした

「カンチャ」というトウモロコシの素揚げをつくるマリ・ソル

ような顔をされるので、豆の甘煮をエクアドルで見つけるなんて思ってもみない収穫だった。

豆の保存は、木の灰で虫除け

次にテオドールに、豆の保存方法について聞くことにした。「昔は木の灰と豆を混ぜて、アルミのタンクで保管していた。第二次世界大戦以降には、ナチスで使用されていた毒ガスを殺虫剤に使ったこともあったが、毒性が強いので今は使用禁止になっている」。彼のように木の灰を虫除けにする方法は、中南米、アフリカ、アジアと広範囲にわたるところを見ると、どうやら世界共通のようだ。そして西アフリカのベニンの農家（60代）によれば、毒ガスを転用した農薬を使ったために病気になる人が出たのでやめたという話もある。

ひととおりインタビューが済み、家の前の畑を見せてもらう。ファビアンの土地は平地に整然と列をなして作物が栽培され、雑草はほとんどなし。彼のように自宅の前に畑があるのはいい方で、家から遠く離れた山中の畑へ通う農民もいる。豆は販売用を含めて6種つくっていて、黒いんげん豆、白いんげん豆、赤いんげん豆、カナリオ豆（種皮の色がカナリア色のいんげん豆）、グァンドール、タルウィ。グァンドールとタルウィは、畑の周りを取り囲むように栽培されていた。日本の畦豆と似た植え方だ。低木のグァンドールは遠くからでも目立つので、畑の境界としてわかりやすいのだろうか。次からは隣の畑との境界に何が植えてあるか、気をつけることにしよう。案外、豆が出てくるかもしれない。

中南米編

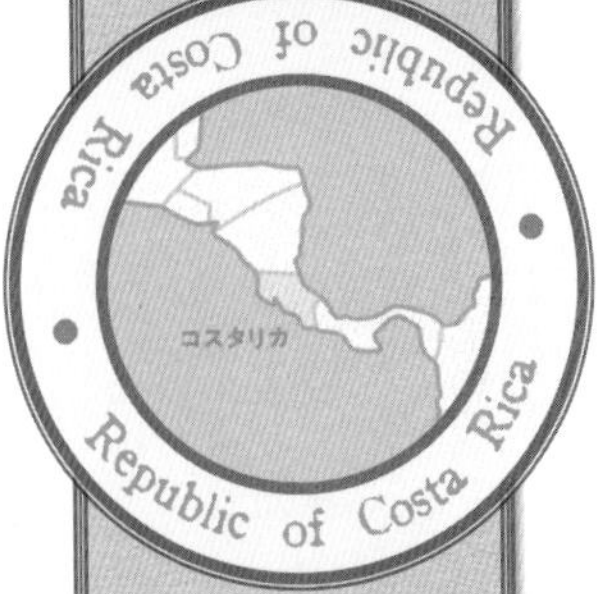

コスタリカ

野生種も固有種も、豊かな国のいんげん豆

研究所保管のいんげん豆は、種類も豊富

スペイン語で「豊かな海岸」を意味するコスタリカ。サンホセ空港から中心地に向かう途上に見える街の景色は、ほかの中南米諸国と明らかに異なり、豊かさと治安のよさを肌で感じる。また全世界の動植物種の約5％が生息するとされる「環境保護先進国」として名高い。ここでどのような豆に出会えるのか、胸が高鳴る。

コスタリカのコーディネーターは、コスタリカ大学の植物学博士ネストール・チャバス・バランテス（Nestor Chaves Barrantes）と、学生のマルセラ・モラ・アリエッタ（Marcela Mora Arrieta）、農業技術の専門家ファン・カルロス・ヘルナンデス（Juan Carlos Hernandez）の3名。到着早々オリエンテーション農家で見た粘土製の大きなかまど。
鍋やフライパンを置いて調理

基本情報

首都 サンホセ

主要産業
農業（バナナ、パイナップル、コーヒーなど）、製造業（医療器具）、観光業

言語 スペイン語

通貨 コロン

旅した期間
2018年9月4～9日

訪れた場所
サンホセ、パルマレスなど

出会った豆
いんげん豆（クバ、イングラトス、リマ、コミューン）など

ということで、ＩＮＴＡ（National Institute of Innovation and transfer in Agricultural Technology）が所有する、コスタリカで採集された豆を見せてもらうことにした。ネストールのおかげで、正確な情報が得られるのはありがたい。

マメ科インゲンマメ属（学名：マメ科*Fabaceae Phaseolus*）は80種類もあり、多くがメキシコに分布する。コスタリカでは15種類が採集され、うち5種類がコスタリカ固有種ということだ。これらの固有種はどれも小粒で、直径5ミリから大きくても1センチくらいしかなく、濃い黄土色や濃いグレーのおはじきか石ころのようだった。国内で消費される主ないんげん豆は、以下の通り。

・クバ（Cubá、学名：*Phaseolus dumosus*）：平たくて黄土色のおはじきみたいな豆で、表皮が薄く豆の筋が透けて見える。たぶん、煮上がりが早い豆だろう。今回、このクバの料理デモンストレーションがあるから楽しみだ。

・イングラトス（Ingratos、学名：*Phaseolus acutifolius*）：テパリービーンとも呼ばれ、日本の手亡や白金時と似ている。ただし日本の手亡や大福豆、金時、うずら豆は、同じインゲンマメ属でも、別のいんげん豆（学名：*Phaseolus vulgaris*）になる。

・リマ（Lima、学名：*Phaseolus lunatus*）：平たい豆。赤と白の斑紋のある日本

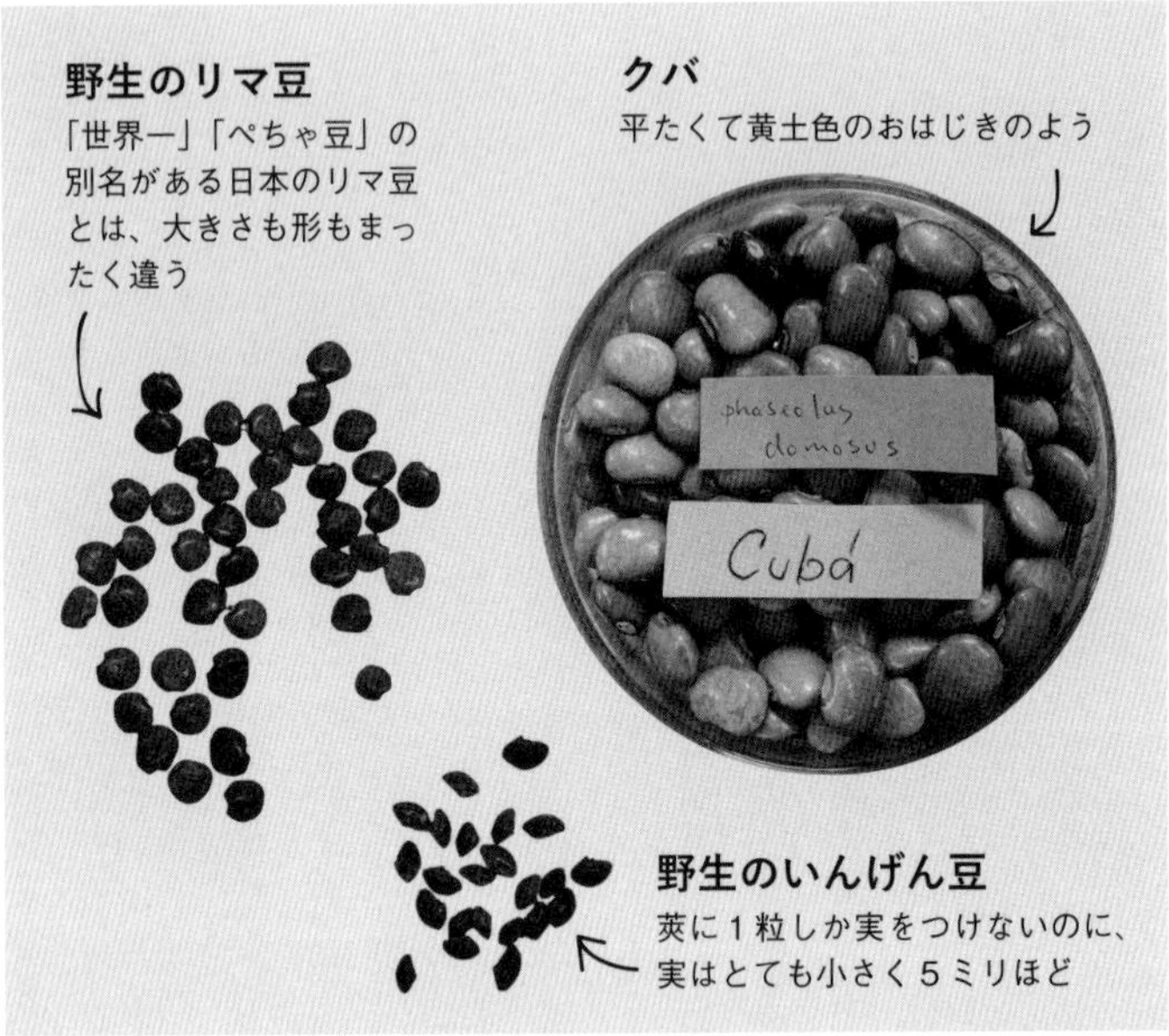

の花豆くらいの大きさのものと、うずら豆と大きさも模様も同じようなものの2種類があった。

・コミューン（Comun、学名：*Phaseolus vulgaris*）：スペイン語で「一般的な」を意味し、日本のいんげん豆もほとんどがここに属する。コスタリカ北部が黒いんげん豆、南部が赤いんげん豆の消費地とされるようだ。

白いんげん豆もあるが、どちらの地域でも特別な時にしか食べないという。日本の茨城県常陸太田市で、葬儀の時に食べる「白蒸《しろふか》し」という白いんげん豆入りおこわの話を聞いたことがあるが、コスタリカでも冠婚葬祭や行事用なのかもしれない。

ずらりと並ぶシャーレに収まるいんげん豆を見ると、確かに白い豆は少ない。ほとんどが黒、茶、黄土色、赤、濃いグレーだ。「Nambi」「Cabecar」「Matambu」など、それぞれに現地名がついている。先住民に関連した言葉だそうだ。インゲンマメ属はメキシコを中心に、標高１、５００メートルくらいのアンデス山地に分布していたことから、そこに住む先住民にちなんだ呼び名がついたと考えられる。

今まで見たことがない、ひし型の豆を見つけた。小豆ほどの小さないんげん豆だ（学名：*Phaseolus microcarpus*）。メキシコ、グアテマラ、コスタリカの固有種だが、なんと莢もひし形で、１莢に１粒しか実をつけないというから野生種にしてはえらく生産性が低い。ほかの雑草との生存競争で、よく生き残ってきたものだと不思議に思ってしまった。

このように生物多様性を誇るコスタリカであるが、豆の自給率は低く大半を輸入に頼るのが現状だ。黒いんげん豆は75％が中国やアルゼンチンから、赤いんげん豆は38％をニカラグアから、ほかにもグアンドール（樹豆）、ささげ、ひよこ豆、えんどう豆、レンティルも、よく食べられているものの国内で賄うことは難しい。追い打ちをかけるように、農業従事者数も１９９４年には２１、５００人だったのが、２０１６年には６、５００人と、３分の１以下に激減している。国の政策などさまざまな原因が考えられるが、今後も減少傾向は加速するだろうとのことだ。

藪の中で生き抜く野生種のいんげん豆

ネストールの案内で、野生種のいんげん豆ハンティングに出かけた。あたりは生い茂る藪、藪、藪。わたしは、彼が進む藪の中をひたすらついて行くしかない。標高１、５００メートル、空気のきれいな場所が彼らの住処だ。

野生種のいんげん豆は葉や茎の表面がザラついていて、歩いていると衣類に張り付く。藪の中では、日光をめぐる植物の熾烈な闘いが繰り広げられているので、あらゆるものにまとわりついて、陽の光を浴びようと必死なのだ。日陰で成長しているいんげん豆は、なんだか全体的に弱々しく、葉っぱと葉っぱの間隔が長い。でも細身な姿に似合わず、根、茎、葉は頑丈で、特に茎は手で引っ張っても簡単にはちぎれない。まるで強靭な綱のようだ。おまけに、水分や栄養が足りなくなると、途中で新たに根を地中深く伸ばして枯れるのを防ぐし、海岸近くに生息しているものは耐塩性があって、塩水をかぶっても死ぬことはない。

採集した豆をツルごと、ビニール袋の中で水も入れずに１日そのまま放置したのだが、まったくへたる気配なし。その圧倒的な生命力に度肝を抜かれた。

リマ豆の野生種の葉は、栽培種と比べ半分以下の大きさだが、根が長く頑丈

ありとあらゆる手段を駆使して、生き残るため、そして種の存続のため、生き物としての本分を全うするため、「どんなことがあっても生き抜くぞ」。そんなメッセージが聞こえてきそうな野生種の豆だった。

コスタリカのいんげん豆「クバ」料理

日本にはないいんげん豆「クバ」を自給する農家に、料理のデモンストレーションをしてもらうことになっていた。ところが当日のスケジュールが大幅に押してしまい、パルマレス（Palmares）にある農家に到着したのは、夜の9時半をまわっていた。家のまわりは外灯もなく、真っ暗。それでも迎えてくれた人たちは不愉快なそぶりひとつ見せず、歓待してくれたのだった。その大らかさに救われる。

広い台所には、軽く10人は座れるテーブルが中央にあった。ガスコンロと、薪で煮炊きするストーブの両方を使うようだ。冷蔵庫や大きな冷凍庫、大きなオーブンもあり、家のつくりは簡素でも調理設備は整っている。

この家のクバは、研究所で見たのと同じ黄土色で平たい豆だった。すでに大きなボウルに浸水させてある。水に浸してそれほど時間がたっていないのか、吸水した表皮がしわしわになっていた。材料はきちんと並べられ、すぐに調理に取り掛かれる状態だった。というか、すでに料理はできあがっていて、わたしのために食材を出しておいてくれたのだった。

上／クバの煮込みの材料。野菜たっぷり、具だくさん　下／クバの煮豆には、ブーケガルニも加えて香り高く煮込む

料理をつくってくれたのはサンドラ・ウレーニャ（Sandra Ureña、53歳）、髪を赤く染めた恰幅のよい女性だった。

Cooking

クバの煮豆（在来いんげん豆の煮豆）

クバを浸水させてから、ブーケガルニ、にんにく、塩で煮る。ブーケガルニの材料は、ローリエ、タイム、セロリの葉、そして「クラトロコジョテ」というハーブ。中南米でよく見るハーブで、コリアンダーの香りがする。これらを紐で結んで、豆と一緒に煮込む。

こうすることによって香り高く煮上がるが、中南米に限らず海外ではスパイスやハーブを入れて豆を煮ることが多い。煮豆の味が華やぐので、日本でもぜひ取り入れてほしい煮方だ。

Cooking

クバの煮込み（在来いんげん豆の煮込み）

豆が煮えたら湯を切り、あらたに水を足してから、調理用バナナ、人参、ハヤトウリ、冬がん、あらかじめ焼いておいた豚肉、にんにく、塩で煮る。野菜が煮えたら、仕上げに生の赤唐辛子、コリアンダーを加え、塩で味を調えて完成。

食べるときに、マスタードや赤唐辛子などが入った辛い調味料「サルサ」をかけるのだが、ネストールとフアンは、この煮込みにご飯をどっさり盛って、かきこみ始めた。具沢山クバスープのぶっかけ飯だ。

サンドラに豆の消費量を聞いてみた。豆１キログラムで７人家族の４日分というから、煮た豆にすると１人１日70グラム食べる計算になる。ほかの中南米諸国と比べるとかなり少ない。おそらくタンパク源を肉に依存しているのだろうが、「経済水準と豆の消費は反比例する（＝豊かな国のタンパク源は豆ではなく肉）」というから、この傾向が如実にあらわれている。

豆の煮込みは中南米の典型的な家庭料理のひとつだが、クバが入っているところがコスタリカ流。

クバの味はというと、芋のようなホクホク感が日本のいんげん豆と同じだった。そして予想していたとおり皮と実が一体化していて、口の中に皮が残ることがない。日本人好みの豆だ。

私たちは遅い夕食を済ませたあと、この期に及んで恐縮しつつも、サンドラに自家用のクバの畑を見せてもらうことにした。ここまで来て、肝心のクバが育っているところを見ないわけにはいかない。外は真っ暗で何の畑なのか、まったくわからない。懐中電灯で畑を照らす。

あった！　竹の支柱にツルが絡まり、開花したばかりの紫色の小さな花が咲いている。これがクバの花かあ。葉っぱの形は日本のいんげん豆とちょっと違う。ぽってりしていて少し大きい。せめて日が暮れる前に着いていたら……。明るいうちにじっくり見られなかったのが唯一の心残り。次回こそは、万難排して畑観察だ。願わくばクバの収穫時期。どんな莢に実をつけるのか、見てみたい。

＼中南米編／

ホンジュラス

ナタマメとムクナ豆のコーヒーと、定番おやつ「タマル」を堪能

人脈あって成り立つ取材

訪れた２０１８年当時、殺人事件の発生率が世界第3位だったホンジュラス。よりによって、なぜそんな危険な国を選んだかというと、ひとえにコーディネーターのマリア・エレナ・モロスの存在だった。ベネズエラの農業研究機関「ＩＮＩＡ（Instituto Nacional de Innovación Agraria；国立農業試験場）」の研究員だった彼女は人脈が広く、それに何よりわたしのよき理解者でもある。ベネズエラ、メキシコ、キューバのコーディネートも申し分なかったし、彼女の人脈だったら間違いないだろう。わたしは厚く信頼していた。

その彼女に次の取材先を相談したところ、「知り合いがサンタバーバラにいるわ。都市と違って治安もいいから大丈夫、安心して」。こうして、ホンジュラス行きが決定したのだった。

向かった先はサンタバーバラ。コーヒー栽培で知られる地域だ。ホンジュラスは中南米の中でも貧困国としても知られる国だが、マリアのいうとおり、サンタバーバラの町には殺気立った空気も、生活に困窮している人々も見当たらない。道行く人々や訪ねた人たちもあけっぴろげで明るく、鬱屈した悲壮感はない牧歌的な雰囲気だった。

ホンジュラスには「ＣＩＡＬ（Comité de investigación agrícola local）」という、持続可能な農業や農民の生活向上、食料の安全と主権の確保を目的に活動する、非営利目的の生産者グループが各地に存在する。さらに米国の財団が資金提供し推進するプロジェクト「ＰＲＲ（Programa de Reconstrucción Rural）」に関わる生産者グループもある。このふたつの団体の協力で、ホンジュラスでの取材が実現した。

70種の豆のタネを守るコミュニティ

サンタバーバラで最初に訪問したのは、ブエナ・フェ・ホルコンシトス・ザカパ（Buena Fe Horconcitos Zacapa）という地域だ。１９５７年に創立されたＣＩＡＬのコミュニティ「バロ（Barro）」があり、そのメンバーの一人エバリスト（68歳）に、話を聞くことができた。彼のコミュニティでは70種類もの豆のタネが保存されており、うち24種はこの地域の豆だというから、いかに豆が暮らしに根付いているかがわかる。

豆殻と一緒に
豆を保存すると
虫がつきにくくなる

基本情報

首都　テグシガルパ

主要産業
主に農林水産業（コーヒー、バナナ、パーム油、養殖エビなど）、縫製産業、観光業

言語　スペイン語

通貨　レンピラ

旅した期間
2018年9月9〜15日

訪れた場所
サンタバーバラなど

出会った豆
赤いんげん豆、黒いんげん豆、白いんげん豆、ささげ、ナタマメ、ムクナ豆（ムクナ・ガティアドゥ）、フジマメ（ドリコ）、大豆など

赤いんげん豆、黒いんげん豆、白いんげん豆、へその黒い白いささげ、白いナタマメ、黒とグレーのムクナ豆、「ムクナ・ガティアドゥ」と呼ばれるうずら模様のムクナ豆、さらに莢がついたままの豆もある。「ドリコ」と呼ばれる赤いフジマメや大豆もあった。

主な豆の用途を聞いてみた。赤いんげん豆と黒いんげん豆はリフライドビーン用。トルティーヤや、ホンジュラスで「カトゥラチータス（Catrachitas）」と呼ばれるスナックのディップとして食べる。中南米ではどこもかしこも、トルティーヤとリフライドビーンの組み合わせが定番なのだ。

白いんげん豆はスープ、大豆は肉の代わりに食べる。ナタマメの若莢は日本では福神漬けの材料のひとつだが、エバリストの妻ルシラ（78歳）いわく「若莢を食べるけれど、毒があるので食べすぎには気をつけないと」。

そして白いナタマメと黒いムクナ豆は、驚いたことに炒ってコーヒーにするという。中南米ではコーヒー豆は割のいい換金作物なので、自家用はB級品で間に合わせることが多い。なのでコーヒー豆を別の豆で代用する話はほかの国でも聞いていたが、ナタマメとムクナ豆は初めてだ。願ってもないチャンス！　とデモンストレーションをお願いする。さらにこのナタマメとム

上／豆スープにご飯、青唐辛子、トルティーヤを載せて食べていた。
下／ホンジュラスの主食はご飯ではなくトルティーヤ。豆ご飯を挟んで食べる。

クナ豆は、莢と実を砕いて土に漉き込んで肥料にしたり、家畜の餌にするという話も聞けた。

エバリストの自宅近くにタネの倉庫があった。丸くぽってりとした素焼きの甕が数十個転がっていて、ここにタネを保存する。今年収穫した豆のタネは、紙袋に入って30袋はあるだろうか。大きなアルミタンク、ビニールの穀物袋にも豆が入っている。別棟は作業所になっていて、大きなテーブルに赤いんげん豆を広げ、数名が手選別していた。冷蔵設備はもちろんない。虫がわいたりしないのだろうか。彼に聞いてみた。

「ろうそくの火を利用する」。え、ろうそくの火？

「このアルミタンクの中で、大きなろうそく1本に火を点けて、蓋をして消えるのを待つ。これだけ。これがいちばん効く」

理屈はこうだ。ろうそくはタンクの中の酸素があるうちは火が点くが、なくなれば自然に消える。酸素がなければ虫は生きられないので、なるほど賢い防除方法だ。

今季出荷する赤いんげん豆の収量は、メンバー6人で600ポンド（272キログラム）。これとは別に自給用50〜80キログラムもつくっているので、だいたい1人当たりの生産量は100キログラム前後。出荷する赤いんげん豆は、仲買人に1キログラム50セントで販売するという。スーパーマーケットで売られていた価格はその5倍以上だったから、卸値が安すぎる。農家はもう少し高く売ってもよさそうなのに、彼らは価格の決定権をもっていない。買い手市場であるのは否めないようだった。

ナタマメとムクナ豆のコーヒーを味わう

ホンジュラスを発つ2日前、待ちに待った「ナタマメとムクナ豆のコーヒー」のつくり方を見せてもらう。ナタマメもムクナ豆も皮がとても固いので、じっくり炒らないとコーヒーにならないのでは……とか、沖縄のうるま市で聞き取りをしたときに、ムクナ豆は乾燥するとあまりに固い莢であることから、「鬼豆」と呼ばれていたことを思い出したりしながら、その日を楽しみに待っていた。

栄養士のヴェロニカ・ヘルナンデス（Veronica Hernandez、65歳）が、デモンストレーションをしてくれた。粘土製の大きなかまどには薪がくべられ、チロチロと小さな火が燃えている。

Cooking

ナタマメとムクナ豆のコーヒー

黒いムクナ豆と白いナタマメをそれぞれ1／2ポンド（約220グラム）ずつ、鉄板で黒く焦げるまで炒って取りだしておく。次にその鉄板でコーヒー豆1ポンド（約450グラム）を炒り、豆が黒くなったところへ、すでに炒ってあるムクナ豆とナタマメを入れて一緒に混ぜる。煙が出て豆が真っ黒に焦げてきたら、黒糖をドサッと投入し手早く混ぜる。黒糖が焦げて香ばしい香りが漂っている間に、鉄板からあげて焙煎完了。すぐにコーヒーミルサーで挽く。

挽きたてのコーヒーの味は確かに、コーヒー豆だけのものとは一味違う。日本で売られているいなご豆（キャロブ）のコーヒーとも違う、野趣ある風味がいい。コーヒー豆が半分入っているせいか、日本で飲んだ大豆100％のコーヒーよりも美味しくて飲みやすかった。

翌日、ベロニカは大豆から豆乳、豆腐、おからをつくり、さらにおから料理までと、一連の大豆加工品のデモを披露してくれた。豆腐のつくり方は日本と同じだが、大豆の皮を取り除くことが大切といっていた。大豆は中南米の伝統食ではないが、30年前からホンジュラスでつくられるようになり、良質なタンパク質を含むことから近年特に、子供たちへの栄養指導に重要な食材とされている。ホンジュラス流にアレンジされた大豆料理を2つ紹介しよう。

ひとつめは「カカワテ・デ・ソヤ」。「カカワテ（cacahuate）」とは、スペイン語でピーナッツの意味で、ピーナッツの素揚げのように大豆を調理したもの。

Cooking

カカワテ・デ・ソヤ（大豆の素揚げ）

大豆をうっすら焦げ付くくらいまで炒った後、浸水させて皮を取る。低温でじっくり素揚げし、塩を振って完成。大豆は皮をむくと半分に割れるので、火が入りやすくなり口触りよく仕上がる。浸水前に焙煎しておくと、皮が取れやすくなるのが調理のポイント。

上／写真上が白いナタマメ、下が黒いムクナ豆　下／豆が十分焙煎できたら、黒糖を投入。香ばしい香りが漂う

ふたつめは「ソヤビーン・チョリソー」というおから炒め、ホンジュラス版の卵の花だ。実はチョリソーは入っていないが、唐辛子入りの赤いチョリソーの中味に見立てて命名したらしい。

Cooking

ソヤビーン・チョリソー（ホンジュラス版・卵の花）

にんにくを油で炒め、香りを付ける。おから、オレガノ、バジル、パプリカ、青唐辛子、玉ねぎ、トマトを投入し、さらに炒める。色付けに「アチョーテ（achiote、和名ベニノキ）」という、中南米でよく使われる赤い木の実をつぶし、レモンで溶いて入れる。卵を加え、豆乳でかたさを加減し、顆粒のコンソメ、クミン、塩で味を調えてできあがり。トルティーヤに挟んで食べる。

辛くてハーブの香り高い「スパイシー卵の花」といったところ。アチョーテの赤い色がひときわ目立って、地味な日本の卵の花とは対照的で新鮮だった。

滞在最終日にいただく、ホンジュラスのおふくろの味

そして最終日、ホンジュラスを発つ当日の早朝に、現地コーディネーターのパブロ・ゼラン（Pablo Zelan）宅で、母のデリア・ゼラン（Delia Zelan、85歳）に調理デモンストレーションをしてもらうことになった。ホンジュラスの伝統食のひとつ「樹豆のタマル」だ。タマルは、中南米では家庭でも店でもよ

く見る定番のおやつで、アルカリ処理したトウモロコシをすりつぶした生地（マサ）をつくり、中に具材を入れ、バナナの葉で包んで蒸す。アジアの粽のような料理だ。調味料や材料が家々で違うのが、おもしろい。樹豆のタマルをつくる人は珍しいというので、あえてリクエストしたのだった。

ところが当日到着してわかったのだが、樹豆が、ない。樹豆は樹豆でも使うのは若いときの豆なので、食べごろの時期を過ぎていて入手できなかったというのだ。残念。代わりにグリーンピースで難をしのいだが、幻の若い樹豆のタマル、「幻」でなくなる日を待つことにしよう。

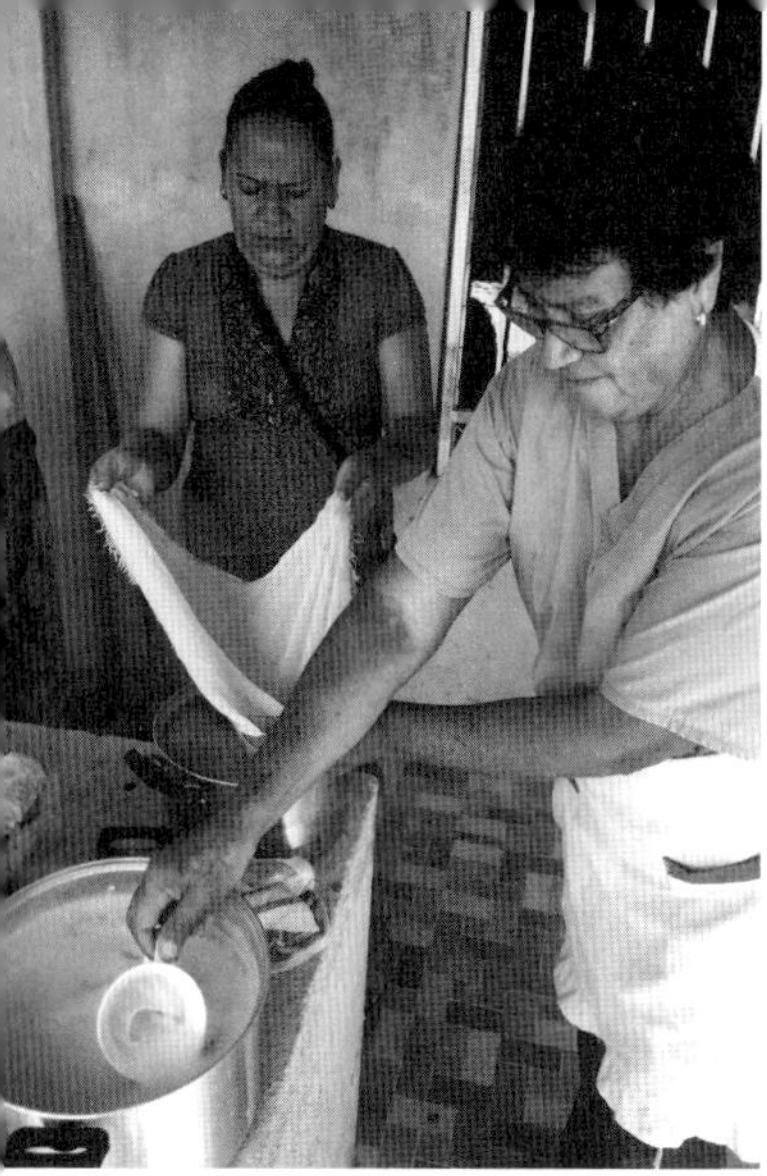

上／さらしのような布で豆乳を濾し、レモン汁とレンネット（仔牛の胃に含まれる酵素）を入れて固める豆腐　下／スパイシー卵の花、「ソヤビーン・チョリソー」

Cooking

グリーンピースのタマル（ホンジュラス版・粽）

生地となるマサは水を加えて混ぜた後、濾す。なめらかにするためだろう。大量のラード（植物性とあった）、塩、クミン、コンソメを加えて混ぜる。具材は3種。さっと湯がいたグリーンピース、アチョーテで色付けされた豚肉の煮込み、そして米を油で炒めてスティック状のじゃがいもを入れて炊いたもの。

バナナの皮を薪の火で炙ってやわらかくしたら、マサと3種の具材を載せ、長方形に包んで、40分ほど蒸してできあがり。

ホンジュラスに限らず中南米の一般家庭では専用の蒸し器は持っていない。たいていバナナの葉や木の枝を鍋底に厚めに敷いて蒸し器代わりにする。デリアも例にもれず、バナナの葉を利用していた。出発時間がせまっていたので、通常より早く30分ほど蒸したところで試食。できたての熱々を頬張る。熱いのか辛いのかよくわからない。オイリーで、つるんとした食感にクミンの香りがとても合う。美味しい。とれたてのグリーンピースは日本のよりまん丸で大粒なうえ、数段甘みがある。でも残念ながらゆっくり味わう間もなく空港へ出発。

「少し時間が経った方が美味しいから、飛行機の中で食べて」と、デリアはまるで旅立つ娘のように、お土産に数個持たせてくれた。飛行機に搭乗してからバナナの皮を開け、一口。豚肉の煮込みがいい出汁になり、生地にも豆にも味が染み込んでいる。できたての熱々よりも、辛さも落ち着き、味がこなれて数倍美味しくなっていた。

ホンジュラス版おふくろの味を最後に、中南米の豆の旅はグリーンピースのタマルで締めくくられたのだった。

上／タマルを包むバナナの葉を炙る、デリア　下／グリーンピース入りタマル。タマルの具材を包む

\ 東アフリカ編 /

タンザニア

主食はウガリ、おかずはいんげん豆で炭水化物たっぷり

納豆のように、いんげん豆を食べる国

タンザニアの人はいんげん豆をよく食べる。この国の主食は「ウガリ」という、白いトウモロコシ粉でつくる餅のようなもの。これに決まって、煮たいんげん豆を添えるのだ。日本でいえば白いご飯に納豆みたいなものだろうか。

タンザニアの都市アルーシャから南東へ17キロ、ンランガリニ(Mlangarini)村を訪れた。すぐそこにはキリマンジャロが高くそびえる。到着すると、体格のいい40~50代の女性4

チャガ族の女性グループに、いんげん豆料理をつくってもらう

何回もおかわりして
お腹いっぱい食べないと、
身体がもたないわ

基本情報

首都
法律上の首都はドドマ。事実上の首都機能を有し、経済面でも中心となっているのはダルエスサラーム

主要産業
農林水産業、鉱業・製造・建設業、サービス業

言語　スワヒリ語（国語）、英語（公用語）

通貨
タンザニア・シリング（TSH）

旅した期間
2013年8月5〜8日

訪れた場所　ンランガリニなど

出会った豆　いんげん豆など

名が待っていた。チャガ族の女性グループだ。皆、エプロンと三角巾よろしく、カラフルなターバンと腰巻を着用。腰巻を胸から巻いている人もいる。

すでに調理が始まっていた。調理場は外にあり、レンガを重ねた簡易なかまどが数カ所、置かれている。真っ黒なススにまみれた素焼きの釜と、ベコベコに凹んだ薄っぺらいアルミの鍋が、かまどの上でグツグツ音を立てていた。調理のかたわら、プラスティック製の大きなマグカップでドロリとしたスムージーのようなものを飲んでいる。

「あれはなに?」「ポリッジ（かたい粥のようなもの）よ。トウモロコシ粉2、シコクビエ粉1、いんげん豆粉1の割合で湯で混ぜる。いんげん豆だけは、粉をローストしてから使う。生だとお腹を壊すから」。

2006年に、日本のテレビ番組で「白いんげん豆ダイエット法」が話題になったことがある。白いんげん豆を炒ってから粉にしたものをドリンクにして飲むと痩せる、という内容を放映した直後、視聴者から嘔吐や下痢を訴える健康被害が続出して問題になった。生や加熱不足のいんげん豆には、食中毒の原因になるレクチンが含まれているので、数十分は加熱しないといけない。加熱時間が短かったのが原因だった。

それに比べるとタンザニアの人は、豆の扱いをよく心得ている。この穀物ポリッジは、飲むとほんのり甘かった。「ミルクと砂糖、油を最後に入れているから」。油は市販されているひまわり油か大豆油だろう。朝食、小腹が空いたときのおやつのようだ。

ランチは炭水化物がたっぷり

調理している鍋の中をすくうと、赤いんげん豆とトウモロコシの粒が出てきた。ほんのり塩味がついていて「ぽくぽくして美味しいなあ」と味わっていたら、料理づくりが始まった。

Cooking

ンガラルモ（赤いんげん豆の塩味あんこ）

赤いんげん豆とトウモロコシを煮ていた鍋の煮汁を一気に捨て、木刀のような棒でつぶす。ウガリをつくる要領で棒を鍋の側面に押し当て、豆をつぶす。トウモロコシの粒はそのままの塩味あんこのできあがり。

マサイ、パケ、チャガ族の人々はこれを「ンガラルモ」と呼ぶ。どうやら民族によって呼び名が違うのだが、わたしには頭文字の「ン」が、とてもいいにくい。

Cooking

ンベレレ（赤いんげん豆とバナナのお粥風）

赤いんげん豆とまだ青くて若い調理用バナナ（芋のように主食として使う）を、グツグツ煮たてる。すでに豆は煮崩れているのか、汁がドロドロだ。ンガラルモと同様に棒でつぶす。途中から木製のマッシャーを両手で挟み、ぐるぐる回転させるようにして混ぜる。大量の牛乳を投入し、植物油少々、砂糖を入れてできあがり。

「ンベレレ」も完成。もはや豆もバナナも元の形状をとどめず、ドロドロとした重湯のようだ。

上／赤いんげん豆の塩味あんこ「ンガラルモ」　下／ンベレレはお粥状にするため、棒でひたすらつぶす

ふと目をやると、いりこのような小魚をビニールシートの上に広げ、作業をしている。大きな手で、小魚の頭とはらわたを取っているのだった。アフリカで、小魚の下処理を見るのも食べるのも初めてだったが、頭と内臓は食味を損ねると感じる味覚は、どうやら日本人と同じらしい。処理した小魚は、玉ねぎ、トマトのすりおろしと一緒に炒めていた。

さらに椅子に腰かけたまま青菜を手に持ち、まな板を使わずに上手に小口切りしているおばさんを発見。スピナッチと呼んでいたがホウレンソウとは別物で、葉っぱを触ると固い。ケールだろうか。さらにベコベコの鍋の上でトマトをザクザク、カットし、人参をスライサーで切り、これらを豪快に炒める。味付けは塩のみで、化学調味料不使用。アフリカでは珍しいかもしれない。かなり僻地の市場ですら化学調味料のキューブがバラ売りされていて、人々はもう「これがないと料理が美味しくない」といってはばからないのだ。

以上で本日のランチはできあがり。プラスティックの平皿によそってもらった。主食のウガリ、赤いんげん豆の煮豆、青菜炒め、小魚のトマト煮の計4品。粒を残した煮豆は、つぶす前にとっておいたようだ。栄養バランスはいいとして、一人分にしては量が少ない。

「いつも、これしか食べないんですか？」「お皿が小さいだけよ。何回もおかわりするからいいの」だろうなあ。おかずよりもウガリがメインという感じで、豆はウガリの量の半分くらいだろうか。４００グラムはありそうなウガリをてんこ盛りにしたおばさんもいた。

気になるのは煮豆の食べ方だ。ウガリを一口大にちぎって真ん中に凹みをつけ、その凹みに豆粒をのせ、親指をはじくようにしてウガリごと口の中へ放り込む。おかずもウガリに挟んで汁に浸し、手で食べる。スープや煮汁は、ウガリを浸しながら食べる。スプーンもフォークも使わない。手だけで、よくこんな汁物を器用に食べるものだなあと感心してしまった。

そういえば先の「ンガラルモ（塩味あんこ）」と「ンベレレ（赤いんげん豆とバナナのお粥風）」がない。これは、ちょっと位置付けが違っていて、デザートとして間食で食べていたのだった。

豆を煮るのが面倒な国、当たり前の国

女性グループの年長者マリー（54歳）に、豆の煮方を聞いてみた。

「豆を煮るときは、土からとれる天然の炭酸ソーダを入れるの。早く煮えるし、豆を食べるとお腹にガスがたまるから、それを抑えるのにもいいのよ」。日本で黒豆を煮るときに、重曹を入れるようなものだろうか。でも食べたあとのお腹のケアまで考えているとは知らなかった。毎日たくさん食べるからということもあるのだろう。

女性たちに豆を食べる頻度を聞いてみると、農閑期は週2回だが、農繁期になると週3〜4回。これは煮豆についてであって、いんげん豆粉を使ったポリッジは含まないから、結局ほぼ毎日、豆を摂取しているのではなかろうか。おやつにもいんげん豆。健康的ではないか。

上／女性グループの年長者マリー。「豆を煮るのが面倒なんて、考えたこともないわ」　下／主食は「ウガリ」、煮たいんげん豆は日本の納豆のような存在

でも今の日本だったら「炭水化物の摂りすぎ」と揶揄されてしまうだろう。でもここはからだが資本の農村。エネルギー源である炭水化物を避けていたら、たちどころにバテてしまうに違いない。

そしてマリーに「日本では豆を煮るのが面倒といわれて、嫌がられることも多くて」とこぼすと、「え、日本人はそうなの?」とちょっと驚きの表情。「私たちは、ウガリと豆は毎日食べるからね。面倒だなんて考えたことも、思ったこともない」。

日本では、豆を煮るのは面倒だの、炭水化物の摂りすぎだの、豆への愛着のかけらもない発言をよく耳にするので、彼らにこの話を聞かせたい！　そう思いつつ、ノートをとるのだった。

東アフリカ編

エチオピア

カルチャーショックでいっぱい！ 偽バナナの発酵食と豆の炒め物

小腹が空いたら豆のスナック「コロ」

エチオピアには、ポテトチップスよりもずっとヘルシーで腹持ちがいい豆菓子がある。「コロ（kolo）」だ。その名もキュートなスナックは、穀物が原料のいわゆる炒り菓子である。そら豆、えんどう豆、ひよこ豆、トウモロコシ、大麦などを炒って、朝食に間食に、そして携帯用のおやつにポケットに入れてポリポリ食べる。

エチオピア北部の都市ゴンダールを訪れると、道路わきで煙が立ち上っていた。「なに？　あの煙」。ドライバー兼通訳のフィレウに聞いた。「コロだ。たぶん豆を炒っているんだろう」。着いて早々、豆の調理場面に遭遇。ゴンダール最初の料理デモンストレーションは炒り豆か。はやる気持ちでその家へ向かった。

　着くと、20代そこそことおぼしき女性が大きな平たい鉄釜で、1キログラムはあろう小粒のえんどう豆を炒っている。食欲をそそる香ばしい香りが辺り一面に漂う。石で囲っただけの素朴なかまどに薪をくべ、その火がぼうぼうと釜の脇から噴き出していて、まだ熾火《おきび》ではないことが見て取れる。かまどの温度が安定していないのだ。

　豆を入れるにはちょっと早いのでは。豆はところどころ黒く焦げている。数粒かじってみると、ガリッとしていてまだ固く、水に戻さないで炒っているのか、豆がふくらんでいない。首都アディスアベバ近郊の家でつくってもらったときのコロは、最初ぐらぐら煮立ったやかんにえんどう豆を入れて、数10分湯に浸けてから、炒っていた。そこではちょっとしんなりした食感だったが、ここゴンダールのコロは生っぽい。

　わたしの訪問に気付いたのか、なにごとかと家の中からぞろぞろ人が出てきた。家主であろう男性

えんどう豆のスナック「コロ」を炒る

コーチョの材料となる植物「エンセット」

基本情報

首都　アディスアベバ

主要産業
農業（穀物、豆類、コーヒー、油糧種子、綿、サトウキビ、ジャガイモ、チャット〈エチオピア原産の常緑広葉樹〉、花卉、皮革〈牛、羊、山羊〉）

言語　アムハラ語、オロモ語、英語など

通貨　ブル（BIRR）

旅した期間
2013年8月15～19日
2018年8月5～16日

訪れた場所
アディスアベバ、ゴンダール、コカテ、アワサなど

出会った豆
えんどう豆、赤いんげん豆（ボロケ）、そら豆、ひよこ豆など

がアムハラ語で、フィレウになにやらまくしたてている。悪い予感がした。お金の要求だ。

写真を撮ったり、こちらがなにか尋ねて教えてもらったりすると、アフリカでは必ずといっていいほどお金を要求される。数ドルのチップを渡すと「足りない」と文句をいわれ、5ドル、10ドル、15ドル……上乗せするほど、まだ足りないと釣り上げてきて際限がない。やることなすこと万事がこうなので、どうせタダではすまないのだからと、最初から金額交渉をすることにした。

チップですったもんだしている間に、えんどう豆のコロが炒り上がった。さっきはガリッとした食感だったが、今度はサクッとまではいかないまでも、かじるとほろりと割れて、香ばしい豆の風味が口に広がった。節分の豆を思い出す。チップをふんだくられた挙句の豆なのに、心が温まる。懐かしい気分にさせてくれる、えんどう豆のコロだった。

偽バナナとの遭遇

エチオピア南部にある都市アワサ。シダマ州と南部諸民族州の州都を兼ねており、国内でも南部は特に、少数民族が多く暮らす地域だという。豆にも各民族の文化が色濃く表れるのではと思い、この地を選んだ。

通訳はアレメワク（20代）といい、農学の修士課程を終えたのち、研究機関に勤務する女性だ。前回（2013年）に取材をしたときのコーディネーターの紹介だ。年齢のわりに冷静沈着。彼女の話すアムハラ語なまりの英語は、日本語なまりの英語のアクセントになんとなく似ていて、わかりやすかった。

アワサドゥメ村、コカテに到着した。バナナの木がやたら目につく。

「バナナを売っているんですか？」「バナナに似ているけど、バナナじゃなくて、エンセット（偽バナナ、エンセーテとも呼ばれる）という植物なんだよ」。複数の現地語を操る通訳であり、この村の生き字引のベフォラ（55歳）が答えてくれる。フェイクバナナか。おもしろいなあ。

「エンセットはここの主食だ」。彼が続ける。主食？　でもバナナのような実は見当たらない。どこを食べるのだろう。不思議に思っていたら、ベフォラがエンセットの木の脇に広げてある、大きな葉をべらっとめくった。豆腐のような大量の白いかたまりが出てきた。ほのかに酸っぱい匂いが鼻をかすめる。

「コーチョ（kocho）。エンセットを削って数日置いて発酵させたものだよ」。エンセットのどこを削るというのだろう。フェイクバナナ、削る、発酵、主食。見たことも聞いたこともない、この白い物体の正体が気になって仕方がない。

でも彼は説明が面倒なのか、実際にデモンストレーションを見てもらったほうが早いとふんだのか、「つくりかたは次回、お見せしよう」と早々に切り上げてしまった。

わたしは消化不良と欲求不満を抱えたまま、その場を後にした。

赤いんげん豆「ボロケ」の炒め物

翌日、豆料理をつくってくれるというので喜び勇んで村へ行くと、赤いんげん豆の選別風景に出くわした。日本の金時豆よりもひとまわり小さいだろうか。大きなアルミのお盆に豆を広げ、割れ豆やしわのある豆を除いている。良品とB品との見分け方は、日本と同じだ。やがてお盆に載せた豆を上下にゆすり上げながら、小さな豆殻などを飛ばす。動作に無駄がなく、実に手慣れている。

「ボロケ」、女性のひとりがつぶやいた。この赤いんげん豆の現地名らしい。洗面器で豆を洗うと、たちまち土で水が濁る。数回繰り返して、水がきれいになったところで、ペラペラの薄いアルミの鍋にあけて煮始める。タイム、ナツメグ、そして「ベジサル」という現地のハーブを投入。スパイス使いには慣れている。

やがてヴィヴィッドなオレンジのワンピースを着たアベベ（60歳）が、昨日見たエンセットの葉に包まれた白い塊を取り出した。塊を包むごわごわした白い繊維に一瞬、たじろぐ。

「人間の白髪!?」、ギョッとしたが、アベベは塊をその繊維に包んでぎゅっと絞り、水気を切った。

赤いんげん豆の炒め物「ブランド」ができるまで

エンセットを発酵させた「コーチョ」。それを包む繊維は人間の白髪のよう！

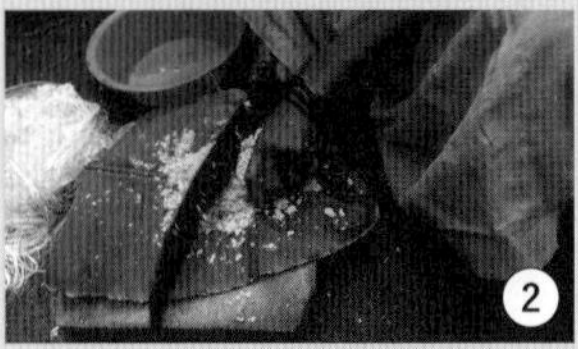

コーチョをザクザク切ってふるいにこしわける

コーチョが細かくなったら炒り付ける

煮豆などの材料と混ぜてさらに炒り、「ブランド」のできあがり

白い塊はエンセットの根茎の澱粉で、白髪のような繊維はエンセットの根茎からとれる繊維なのだった。

アベベはさらに大きな鉈のようなナイフで、白い塊に混ざっている繊維をザクザク断ち切り、ふるいでこしわける。これを数回繰り返したところで、今度は熱々の素焼きの平たい釜の上に載せ、勢いよく炒り始めた。先ほどのナイフを今度は木べら代わりにし、もう片方の手でまんべんなくかき混ぜながら、豪快に炒るのだった。

いつのまにか、近所から人が集まってきた。その中の男性のひとりが「ブランド、ブランド」と訴える。この料理、ブランドっていう名前なのか。

Cooking

ブランド（エンセットの発酵でんぷんと赤いんげん豆の炒め物）

赤いんげん豆を素焼きの瓶《かめ》で煮て、茹で汁を切っておく。エンセットの発酵澱粉（白い塊の水気を絞り、ふるったもの）を炒り付け、薄く色付いてきたら、煮豆の瓶に一気に加える。ジュッと、水気をはじく音がする。あらかじめ石臼ですりつぶしておいたにんにく、玉ねぎ、ターメリック、ナツメグ、植物油を混ぜて塩をふる。おからを炒ったようにパラパラしてきたらできあがり。

さっき豆を選っていたのと同じアルミの盆に、このブランドをばらまくように盛り付けると、集まってきた人の手がにょっと一斉にお盆にのびてくる。手のひらいっぱいにつかんでは、口に放り込む。豪快な食べっぷりは、見ていて気持ちがいい。皆が食べている間にも、アベベは忙しそうに料理をもうひとつこしらえていた。

Cooking

ヌフロ（赤いんげん豆と白トウモロコシの塩茹で）

赤いんげん豆と白トウモロコシを一緒に茹でて、塩で味付けする。

なんということはない、粉ふき芋を彷彿とさせる実に素朴な豆料理だ。茹でたじゃがいもも一緒に付け合わせることが多い。またしても、炭水化物 on 炭水化物。ケニアでは「ギゼリ」と呼ぶ、トウモロコシと豆の塩茹でと同じだった。

コーチョの謎、ついに解ける

料理をつくってくれたアベベに、昨日から気になっていた白い塊の正体を聞いた。

「ああ、これはコーチョっていうの。エンセットの幹の内側を削って、それを土の中に入れて８日くらい放置しておく。この辺の主食だよ」。最初に見せてもらったときに酸っぱい匂いがしたのは、やはり発酵していたからだった。

この村では、エチオピアの主食として広く知られるインジェラ（テフという穀物でつくる発酵食）は、あまり食べられていない。主食はもっぱら、このコーチョなのだ。コーチョは土の中で保存すると数カ月も保つそうで、保存性にも優れている。このコーチョと豆、それにトウモロコシと豆の組み合わせが、農作業に耐えうる体をつくっているわけだ。

村では肉を食べる頻度が少なく、豆が貴重なタンパク源になっていて、週３回、１日１人約２００グラムを食べるという。さっき見せてもらったブランドやヌフロのほか、蒸したトウモロコシ粉に煮豆を混ぜた「ポソセ」、朝食やおやつに「コロ（えんどう豆、そら豆、ひよこ豆のスナック）」を食べているから、結局２００グラムよりも多い勘定になるのではなかろうか。

かまどの横で、別の女性が豆を炒っている。今度は豆は豆でもコーヒー豆だ。おやつや食事に欠かせない、自家製ブンナ（コーヒー）を準備してくれた。エチオピアでは農村でも、1日3回コーヒーを飲む。コーヒーを淹れるのは生豆の焙煎から始まるのでちょっと時間がかかる。儀式的な意味合いもあるのかもしれない。淹れてくれたコーヒーをひと口飲んで、腰が抜けるほどびっくりした。しょっぱい！　それだけではない。ギー（バターオイルの一種で高純度の乳脂肪）を入れる場合もあるというから、面食らったなんてもんじゃない。以前、世界的に大流行したバターコーヒーは、エチオピアの片田舎では当たり前の飲み物だったらしい。それにしても、塩味コーヒーはカルチャーショックのみならず、わたしの味覚は最後まで受け入れられなかった。

上／コーチョと豆を食べる人々。豆はこの村の貴重なタンパク源
下／蒸したトウモロコシ粉に煮豆を混ぜた「ポソセ」

タネに山羊のオシッコ!?

カルチャーショックはまだ続く。作物の保管場所を、あちこちで見せてもらったときのこと。「食べる分の作物は高床式の小屋で袋に入れて保管し、翌年使うタネは莢のまま天井から吊るす」、と同じような話が続くなか、ドレイティ（80歳）から国宝級のエピソードが飛び込んできた。除虫について尋ねたときだ。

「虫がつかないようにする方法？　タネの保存にはね……山羊のオシッコ」。え、今なんていった？

「タネに山羊のオシッコをかけて、天日干しする。乾いたらサイザル麻の袋に入れる。直接地面に置くと湿気るから、乾燥した牛糞を地面にかませて、その上に袋を置くんだよ。豆、トウモロコシなど穀物の虫除けには、これが一番」

オシッコに含まれる成分のアンモニアが、虫除け効果を発揮するのだろうか。「それって……食べる豆にもかけるの？」。おそるおそる聞くと、さすがにやらない。保存するタネに限った話だった。

さらに60代数名にも同じく、タネの保管や虫除けの方法について尋ねると、驚いたことにこの家畜の尿利用は、過去の話ではなかった。現存する理に適った防虫方法なのだった。日本の農家が聞いたら、どんな反応を示すだろう。それとも、もしかしたら日本にも、同じような防除方法があったのだろうか？　気になって仕方がない。

\ 西アフリカ編 /

ナイジェリア

ささげのストリートフード「アカラ」が大人気

ささげの食感をよくする丁寧な下ごしらえ

ささげの原産地、西アフリカ。特に年間降水量が1、000ミリ以下の乾燥地はささげの栽培適地とされている。いつものごとく取材の当てを探して調べていたら、石垣島とナイジェリアを行き来する日本人の研究者を見つけた。「JIRCAS（国立研究開発法人国際農林水産業研究センター）」に所属する村中聡さんだ。しかもささげの研究をされているという。だめもとでコンタクトをとってみる。

「1～2カ月に一度ナイジェリアへ行くので、僕が滞在している期間中であればいいですよ。もちろん上司の許可がおりての話ですが」。そしてお願いしてから数日後、朗報が入る。許可がおりたのだ。まだ見ぬささげの国ナイジェリアに向けて、わたしは旅の準備を急いだ。

西アフリカのささげ、バンバラビーン。日本のささげと
見た目は違うが、へその周りが黒いところは一緒

村中さんから届いた、入国に際しての注意事項を読むかぎり「一人で勝手に出歩くべからず。空港で両替をするべからず。あらかじめ申請してある場所以外は訪問不可。車で移動中に許可なく降りるべからず」など、「べからず」のオンパレード。治安のわるさを反映しているのか厳重警戒態勢。わたしの望む取材内容がはたして成り立つのか、不安を抱えつつ日本を発った。

ナイジェリア南西部の都市イバダン郊外に、村中さんの勤務先である「IITA（国際熱帯農業研究所）」はあった。広大な敷地内にはホテルや職員住宅も併設されており、中心地の喧騒から隔絶されたオアシスのような場所だった。しかし取材のとき以外、ここを出ることを許されず、なかば軟禁状態の滞在となる。

到着してすぐのオリエンテーションを経て、午

イバダンの露店では
豆がたくさん売られていた

基本情報

首都　アブジャ

主要産業
農業、原油、天然ガス通信など

言語
英語（公用語）、各民族語（ハウサ語、ヨルバ語、イボ語など）

通貨　ナイラ

旅した期間
2013年7月25～7月28日

訪れた場所
イバダン、イフェなど

出会った豆
ささげ（ブラック・アイド・ピーズ）など

後、時間はたっぷりあるのにどこへも出られない。こうした場合はたいてい現地のコーディネーターに掛け合って、飲食店や市場へ連れていってもらうのだが、ここでは許されなかった。安全のために、すべてが杓子定規で決められていて身勝手な行動は一切厳禁。いつもと勝手が違い、初日から調子が狂う。

翌日、スタッフのジミーと町へ出る。「アカラ」の取材だ。アカラとは、ささげを挽いた粉でつくる、揚げパンというか甘くないドーナツ風だ。ナイジェリア、ブルキナファソ、ニジェールなど西アフリカならではの庶民のおやつで、人気のストリートフードである。

すでに村中さんを含むささげ研究チームが調べてくれていて、イバダンから70キロ離れた都市イフェ（正式名イレ・イフェ）まで迷うことなく到着。アカラの売店が数軒連なり、それぞれ女性が一人で仕込んでは売っている。

「アカラの店がいくつかあるけれど、なにか違いがあるの?」とジミーにきくと、「詳しく比べていないけれど、特別大きな違いはないわ。どこも同じよ」と、けんもほろろ。

皆、大きなタライのような容器にアカラのタネを入れており、大きな鍋で揚げる。ピンポン玉くらいの大きさで、ふっくらふわふわ。食べてみると、とてもささげの粉とは思えない軽さだった。つくり方は、いたってシンプルだった。

Cooking

アカラ（ささげの揚げドーナツ風）

ブラック・アイド・ピーズ（地の色は白で、へそのまわりが黒いささげ。黒目豆とも呼ぶ）を浸水させてから、皮を取る。それを粉に挽いて水とベーキングパウダーを加え、空気を入れながらかき混ぜる。すりつぶした赤唐辛子を混ぜ、塩で味付けしてタネの完成。油で揚げる。

美味しさのポイントは、豆の皮を丁寧に取ることと、空気を入れながら混ぜること。特に皮の除去は完ぺきに近く、水を何度も取り換えながら徹底的に取り除くのだった。口触りがよく、ふわふわの軽い食感は、これで決まるらしい。

帰国後、試しにアカラをつくってみたが、どうしてもあのふわふわした食感は再現できなかった。皮も取ったし、空気を入れるように混ぜたのにもかかわらず、だ。考えられるとしたら、ささげの種類か、それともタネを混ぜるときの湿度か？　味覚や美味しさは、風土にも大いに関係があることを裏付ける結果でもあった。

そしてアカラと並ぶ、ナイジェリアのささげ料理といえば「モイモイ」だろう。ナイジェリアの茶わん蒸しというか、いわゆる「ささげの寄せ」だ。
アカラを取材した翌日、イバダン市内の狭いアパートに住むジミーの友人、アデフィオエの自宅にお邪魔する。アパート暮らしでも、木でできたアフリカの杵「ピストル」と臼「モルタル」を常備していて、ささげをすりつぶす道具として欠かせないという。キッチンはこじんまりしていて、日本の台所に近かった。

Cooking

モイモイ（ささげの寄せ）

ささげを水に5〜6分浸水させて、皮に吸水させる（皮を取るためなので、長時間でなくてよい）。これを木製の杵と臼で搗いて皮を取る。数回水ですすぎながら、皮を完全に取り除くまで念入りに繰り返す。次に、まな板くらいの大きさの平らな石のうえで、皮を取ったささげを、これまた漬物石のような石でこすり合わせるように丁寧にすりつぶす。
すりつぶしたささげに小エビの粉、すりおろした赤唐辛子（激辛！）、玉ねぎのみじん切り、ゆでた卵白のみじん切り、塩を入れて混ぜる。内側に油を塗ったカップに注いで軽くラップをかける。蒸気の上がった鍋で蒸すこと約45分。冷ましてできあがり。

容器のカップがプラスティック製だったので、蒸している間に溶けやしないか気が気でなかった。

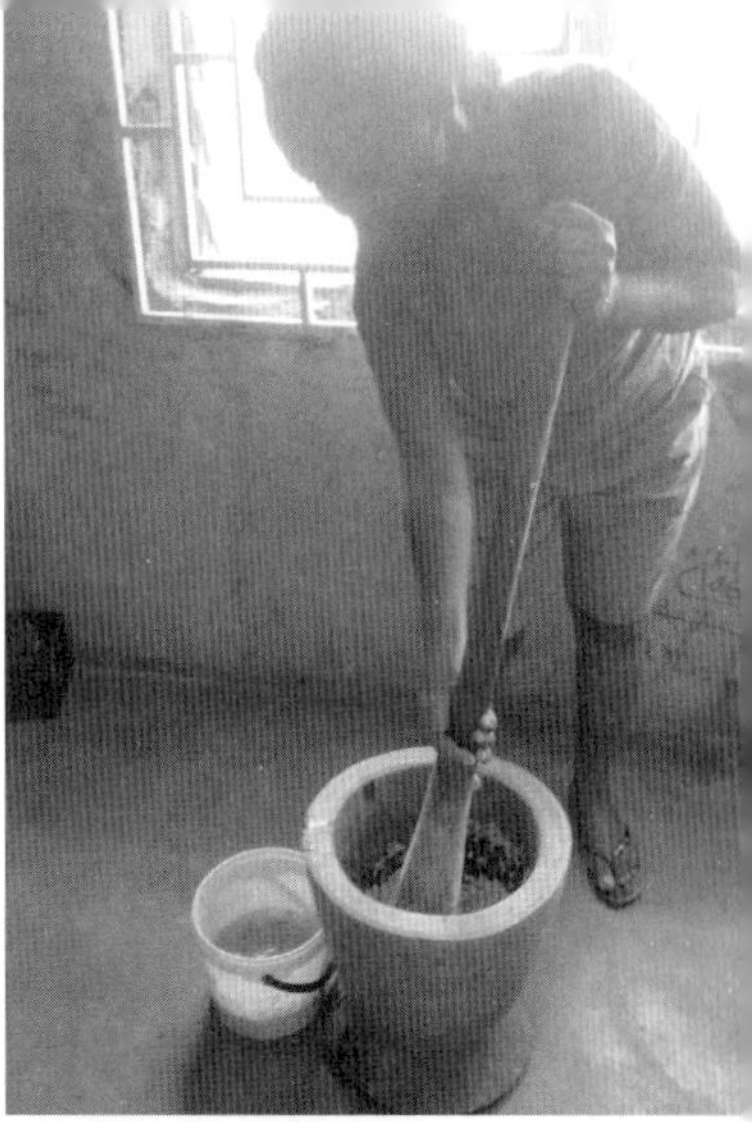

上／ささげを臼と杵ですりつぶす、アデフィオエ　下／ささげの寄せ「モイモイ」をつくる

が、蒸し上がりは上出来。何ら問題なし。

エビの出汁の旨味が濃厚で、唐辛子が効いて辛い。トゥルンとした食感は、皮を完ぺきに除去した証だ。アカラのときもそうだったが、口触りを重視していて、皮をまるで〝目の敵〟のごとく徹底的に取り除くのだった。モイモイもまた、ささげとは思えないなめらかさで大成功。美味しかった。

ナイジェリアでの「ささげ」の役割とは？

「地の白いブラック・アイド・ピーズは、みんなたいてい常備しているわ。この辺じゃ、白いささげが一般的ね」とアデフィオエ。

彼女のいうとおり、イバダン近郊では白いささげが主流で、人々から好まれている。でもジミーに聞くと、地域によってどうも違うようだ。ちなみに、ナイジェリア北部だけで50種類ものささげがあるというが、実際店に並んでいるのは圧倒的に白が多く、ほかに茶色、グレーの斑、赤などが4～5種類。イバダンで白いささげが好まれるのは、味によるものなのか、価格によるものなのか、定かではない。

村中さんは、農家がつくりやすくて需要の多いささげを突き止め、需要と供給をマッチングさせたいといっていたが、農家や一般の人にインタビューしても信ぴょう性のある話が聞けない、とこぼしてもいた。

ただしささげの存在価値は、ここナイジェリアに限らず、ささげの原産地である西アフリカ、サヘル地域ではとても大きい。

やせ地や干ばつでも育つささげは、主食のトウモロコシや「ミレット（キビ、ヒエ、アワ、ソルガムなど）」と呼ばれる雑穀とともに、貴重なエネルギー源でありタンパク源でもある。厳しい農作業に耐えるのに欠かせない食材だということが、たった数日の滞在でも見て取れた。特に農村でのタンパク源は、肉よりも圧倒的に豆と雑穀に頼ることが多い。常に干ばつの脅威にさらされるこの地域で、風土に根差した豆といえそうだ。

＼西アフリカ編／

ブルキナファソ

アフリカ版納豆との衝撃の出会い

粉に挽きたてのささげドーナッツは絶品！

ナイジェリアの後、ブルキナファソへ入国した。村中さんの紹介で、ブルキナファソの研究員、「IITA（国際熱帯農業研究所）」の石川春樹さんが受け入れてくれたからだ。こうした知り合いの人脈で動くのが、海外ではもっとも有効かつ安全な方法だということを、旅を経験した人ならわかるかもしれない。

ナイジェリアの隣国といってもいい国なのに、首都ワガドゥグの人々にはナイジェリアと違い、殺気立った気配や緊張感が

黒人女性は派手な色に負けない存在感がある

ささげを美味しく食べるには
皮を除くのがポイント！

基本情報

首都　ワガドゥグ

主要産業
農業（粟、トウモロコシ、タロイモ、綿および牧畜）

言語
フランス語（公用語）、モシ語、ディウラ語、グルマンチェ語

通貨　CFAフラン

旅した期間
2013年7月29～30日

訪れた場所
ワガドゥグ、プニ、ラオンゴなど

出会った豆
ささげ（ブラック・アイド・ピーズ）、アフリカイナゴマメなど

なく、皆穏やかなのには拍子抜けしてしまった。短期間で国々を移動すると危険を察知する勘が磨かれるのか、空港や都市の空気、行き交う人々の表情などで、治安の状態を肌で嗅ぎわけられるようになるのは、望外の収穫かもしれない。

入国した翌日、石川さんがプロジェクトでかかわっているグルンシ族の住む村、プニへ向かう。英語が公用語のナイジェリアと違って、ブルキナファソはフランス語圏。しかも現地語の通訳も必要だという。困った。が、石川さんの助け舟で、英語も現地語もわかるスタッフのミレが一緒に行ってくれることになった。ワガドゥグから1時間ほど行ったところで、粘土の低い壁で家々が仕切られた集落が見えてきた。乾燥地帯特有の茶色の乾いた景色に、木々の緑がぽつりぽつりと点在する。

プニ村に到着すると、カラフルな柄の布を腰に巻いた女性5名に出迎えられる。今日、料理をつくってくれるメンバーだ。ゴールドのピアスが黒い肌によく似合う。ヴィヴィッドな色使いの派手な柄を身に着けても、デザインに負けないところがアフリカ人のすごいところ。日本人が着たら、チンドン屋だ。

上／ささげの蒸しもの「ゴンレ」
下／サムサをシアバターの油で揚げる

「こんにちは、はじめまして」と挨拶する。皆恥ずかしそうに小声で「こんにちは」と返す。ブルキナファソに限らず、アフリカの農村に住む女性は、概してシャイだ。口数も少なく一見不愛想だが、働き者で手際よく確実にこちらの要望をかなえてくれる。その誠実な働きぶりを鍛えられたがっちりした体つきが物語っていた。

メンバーの一人が、木製の杵と臼でなにかを搗いている。白いささげ、ブラック・アイド・ピーズだ。「ゴンレ（ンゴレとも呼ぶ）」という、ささげをすりつぶして蒸したものをつくるという。

別の女性は袋に入れたささげを抱えて、出かける準備を始めていた。「どこかへ行くの?」と聞くと、「ささげを粉にしてもらうの」。ついていくことにした。

村には小さな製粉所がある。そこには電動の製粉機が1台あり、いくばくかの手間賃を払えば粉にしてくれる。製粉所の男性に頼むと、持ってきた5～6キログラムのささげを機械に一気に入れたかと思うと、たちまち粉になって出てきた。女性は粉をさらにふるいでふるって、豆の皮を飛ばしている。やはりここでも皮は嫌われもの。この粒子の細かいささげの粉は、ブルキナファソでは「サムサ」というささげドーナツの原料となる。

さっきの場所に戻ると、すでに調理の準備ができていた。ゴンレとサムサづくりを見せてもらう。

Cooking

ゴンレ（ささげの蒸し物）

水に浸けた生のささげを、杵と臼ですりつぶして皮を取り除き、ペースト状にする。味付けは塩のみ。これをマンゴーの葉に包んで1時間ほど蒸す。

専用の蒸し器などなく、底の広い鍋に木の枝を敷き詰めて高さをつくり、そこへ水を注いで、蒸し器代わりにする。生豆ゆえ火入れはしっかりする。

Cooking

サムサ（ささげの揚げドーナツ風）

製粉したささげの粉に水、塩、ベーキングパウダーを混ぜ、空気が入るようにしっかり混ぜる。タネをぽたりと水に落とし、浮いてきたら空気が入っている証拠だ。これを取りだし油で揚げる。

サムサは、すりおろした唐辛子と玉ねぎを炒めたソースをつけて食べる。ささげの粉は挽きたて、しかもここではシアバターで揚げているから、ふわふわ感もスパイシーな風味も最高だ。シアバターはブルキナファソ、ナイジェリア、マリが主要生産国とされ、身近な植物油として使われているが、欧米や日本だったら目が飛び出るほど高価なドーナツになるだろう。サムサを仕込んでいる間に、ゴンレが蒸しあがった。マンゴーの葉を取って、ここにもシアバターをタラリとたらし、熱々を頬張る。どっしり腹持ちのいいおやつ、というか主食だ。

聞くと、やはり農村では肉を食べる頻度が少ないため、乾燥したやせ地でも育つ強靭な作物である豆を含む雑穀（特にトウモロコシやトウジンビエ、ソルガム）が主食であり、貴重なタンパク源となる。

アフリカ版納豆「カールゴ」に遭遇

グルンシ族の村プニの次は、モシ族の住む村ラオンゴを訪ねる。ここでは、長老らしき男性ほか数名が、木陰のベンチに腰掛けてわたしたちを待っていた。テーブルには、ホーローの鍋が７つ置いてある。

「どうぞ」と、三角パックに入った冷たい水を出してくれた。来客が来たら、まず水を差し出してあいさつをするのが習わしらしい。簡単にわたしの自己紹介をした後、長老らしき男性が粛々と料理の説明に入った。つくり手であるはずの女性たちは、後ろのほうでただ見ているだけ。こうしたシーンは特に、アフリカやイスラム圏でしばしばあった。来客の接待は男性のみで執り行われ、女性は男性の指示に従うか、関係ないからといって席を外すかのどちらかだった。

料理をしたこともないであろう人からの説明など、あてにできない。わたしは業を煮やして「つくっている人からもっと詳しく聞きたい」と直談判した。すると長老が後ろの女性に「こっちへ」と手招きし、ようやくつくり手から料理の話をとどこおりなく聞くことにこぎつけられたのだが、男性たちの流儀に従っていたら、ありきたりの内容しか聞けなかっただろう。やれやれ、だ。

鍋に入った7品の料理のうち、豆料理は2品。豆はどちらも白いささげ、ブラック・アイド・ピーズだった。

1品目は、ヨウオン。ささげの若葉とトウジンビエの団子だ。ささげの若葉をすりつぶし、炊いたトウジンビエと混ぜてボール状に丸める。ここにスープをかけたり、肉、魚、野菜などのおかずと合わせて、団子を割りほぐしながら食べる。

ささげの若葉はタネ播きしてからわずか1週間後のもので、栄養価が高いこともあり、ほかの料理にもよく使われる。なぜかはわからずじまいだったが、ドロドロに煮込んで主食のトウモロコシや雑穀に付け合わせたり、肉や野菜との煮込みに入れたりして食べる。旬の時期は生を食べ、残りは乾燥させて年中食べるのだった。

2品目は「ベンガムイ」という、ささげご飯。日本の豆ご飯よりも圧倒的に豆が多く、米3に対し、豆2はあったと思う。味付けは、塩と唐辛子、といたってシンプル。

長老を交えた〝公式〟のインタビュー終了後、わたしとしてはここからが本番。通訳のミレを通じて、村の人に「家の中を見せてほしい」と頼む。土壁でできた家の中は、とても涼しい。ひと間かふた間しかない家で、台所は外のかまどで煮炊きするようになっていた。冷蔵庫はなく、そのつど調理して食べ切るスタイルだった。

豆はどこだ。「家に豆のストックはあるの?」と聞くと、「今はない」という返事が戻ってきた。収穫の端境期で食べ切ったのだろうか。

家の近くの畑には、トウモロコシとささげが混植されていて、どの家でも、自分のところで食べる

上／アフリカの納豆「カールゴ」
下／ささげの若葉と炊いたトウジンビエの団子「ヨウオン」

分を自給している。これ以上、取りたてて聞くことはなさそうだと思っていたら、「こっちへ来て」と別の部屋へ案内される。途中から、強烈なアンモニア臭が鼻を突く。部屋を仕切っていたレースのカーテンを開けるや否や、今度はおびただしい数のハエが音を立てて一斉に飛び立った。その大群にことばを失う。

一体なにがあるのか、皆目見当がつかない。よく見ると土間に直置きされたビニールシートの上に、豆粒のような、なにかの実のようなものが、バラバラと広げてある。ハエはここにたかっていたのだった。

「モシ語で〝カールゴ〟といいます」「カールゴ？　なんですか？」「木の実を発酵させてつくる、ブルキナファソの調味料みたいなものです」とミレ。

その部屋はカールゴ部屋らしく、大きな鍋がかまどにかかっていた。原料の木の実を煮ている最中だそうで、一見、黒豆？　と勘違いしたくらい、煮汁が黒々としていた。

つくり手の女性が、ビニールシートに広げてあるものを手ですくう。糸を引いて粒が落ちていく。匂いといい、糸の引き方といい、これは紛れもない納豆だ。

「Locust beanからつくるの」。なんと、この原料は豆なのか。期待していなかっただけに仰天した。

あとで調べてみたら〝Locust bean〟とは、アフリカイナゴマメ（African locust bean、学名：*Parkia biglobosa*）といい、日本でも知られるいなご豆（キャロブ）とは、ちょっと違うらしい。ヒロハフサマメノキというマメ科の樹木の実で、現地では「ネレの木の実」と呼んでいた。

　この木の実の中の種子を、煮てから糸が引くまで発酵させ、天日干しして、ピンポン玉くらいの大きさに丸める。この状態にしてから、市場で売るのだという。ブルキナファソの調味料として、スープやいろいろなソースの出汁というか、ベースに使われているのだが、最近ではマギーなどの化学調味料が大量に安く出回り、カールゴの需要は減っていると嘆いていた。

　ここで取材は時間切れ。もっと早くに教えてくれていたら、つくっているところを一部始終見られたかもしれないのに……。後ろ髪を引かれる思いで、ラオンゴを後にしたのだった。このブルキナファソで見た納豆は、後に訪れたニジェール、ベニンでも確認できたのだが、製造の現場にはいまだ立ち会えていない。ブルキナファソの納豆は大きな課題を残したまま、その強烈な匂いと黒々としたハエの大群が、嗅覚と視覚に焼き付いた衝撃的な出来事として、わたしの五感に深く刻まれたのだった。

＼北アフリカ編／

チュニジア

オリーブオイルは飲み物、ひよこ豆ドリンク「プシサ」

ひよこ豆のヘビー級ドリンク「プシサ」

トルコ南部を起源に紀元前4、000年頃には、地中海全域に広がったとされる、ひよこ豆。チュニジアの人たちはこの豆をこよなく愛し、多食する国だという。彼らはいったいこれをどうやって食べているのか。この国を訪問先に選んだ理由は、そこに尽きるといっていいかもしれない。

チュニジアの首都チュニスに着いて早々、ひよこ豆の食べ物を見つけた。それは「プシサ」というポリッジ(粥)というか、飲み物だった。日本でいえば、きな粉ドリンクに相当するのだろうか、どっしりお腹にたまる。チュニスでの通訳兼ガイドのナディアいわく「チュニジアの朝食ですよ」。

プシサとは、ひよこ豆粉、ソルガム粉、大麦粉などの穀物の粉に、水、オリーブオイル、砂糖、スパイスを混ぜた飲み物だ。あわただしい朝でも手っ取り早くつくることができる栄養ドリンクである。

市場には、プシサバーというプシサ専門店もあって、さまざまな穀物粉のほか、一緒に加えるはちみつや砂糖、デーツなどのドライフルーツ、シナモンなどのスパイスも扱っている。

ボリビアやペルーで見た、そら豆粉のホットドリンクも同じ部類だが、甘くてシナモンなどのスパイスを入れて朝に飲むところまでは一緒でも、決定的に違うところは、プシサに大量のオリーブオイルを入れることだった。その量たるや目をむく。まさにオリーブオイルを「飲む」、のだった。

滞在２日目、今度はコーディネーターのラミアがアレンジしてくれた地中海の町、スファックスへ出発した。チュニスから南へ約２７０キロ、途中でラミアご贔屓の乾物店に立ち寄る。昨日チュニス

上／ひよこ豆粉を使った「プシサ」
下／夏用の「プシサ」は、ひよこ豆粉ではなく大麦粉を使って体を冷やす

手づくりの
ひよこ豆クッキーは、
母ゆずりのレシピなの

基本情報

首都 チュニス

主要産業
サービス業（観光業、情報通信産業など）、製造業・鉱工業（繊維、機械部品、電機部品、りん鉱石、食品加工など）、農業（小麦、大麦、柑橘類、オリーブ、なつめやしなど）

言語
アラビア語（公用語）、フランス語
（国民の間で広く用いられている）

通貨 チュニジア・ディナール（TND）

旅した期間
2018年7月30～8月4日

訪れた場所
チュニス、スファックスなど

出会った豆
ひよこ豆、白いんげん豆、レンズ豆など

の市場で洗礼を受けたプシサのデモンストレーションをしてくれるという。店内には白いんげん豆やレンズ豆などがずらり、プラスティック容器に収められ、さまざまな豆が売られていた。その中に、粒の大きさや色の違うひよこ豆が数種類並んでいる。はかり売りで、１キログラムあたり日本円で約95～１４０円ほど。

乾物店の店主は、おもむろに直径20センチくらいの平皿を持ってきて、プシサづくりのデモンストレーションを始める。

Cooking

プシサ（ひよこ豆のドリンク）

皿になみなみと、黄緑色をしたオリーブオイルを注ぐ（50～60ミリリットルほど）。そこにひよこ豆の粉を大匙山盛り2杯は入れ、かき混ぜる。さらにもう1杯入れてかき混ぜ、さらにまた1杯。水っぽかった液体がドロドロしてくる。ホットケーキをつくるときのドロリとしたタネの感じだ。店主がスプーンでひと口すすって味見。完成。

ちなみにプシサ用のひよこ豆はローストしてあるので、そのまま食べても大丈夫。生の豆はそのまま食べるとお腹を壊すので、十分な加熱が必要だ。

できあがったプシサにデーツを刻んで、飲むというか食べる。腹持ちのよいファストフードだ。さらにアーモンドなどのナッツ、乾燥したオレンジの皮、コリアンダーパウダー、フェンネルパウダーを入れると、スファックス版プシサを極めることになる。

冬のプシサは、それぞれ炒ってから粉にしたひよこ豆１キログラム、そら豆粉１００グラム、大麦粉１００グラムの割合で混ぜ、オリーブオイル、水、砂糖を加えたものがベース。これに季節の果物を加えることもあるという。

こうしたプシサは、地域や家庭によってつくりかたはさまざまで、レンティル（レンズ豆）粉、いなご豆粉を使ったり、ローズマリー、タイム、ミント、ごま、そしてデーツの種を混ぜることもある。実にバラエティ豊富なのだ。

デーツの種を粉にして入れると、そのでんぷん質がエネルギー源になるそうだし、いなご豆粉のプシサは下痢に効く薬としての用途もあったり、聞く先々でオリジナルが出るわ出るわ。調べるほど生活に密着していることがわかる。

ただし、どのプシサも、大量のオリーブオイルは必須。聞き取りした中では、家族５〜６人で１日５００グラムは消費するという話もあったから、チュニジアはオリーブオイルを「飲む国」といえよう。

母から受け継がれるひよこ豆クッキー「フムシア」

スファックスでは、この地発祥の知る人ぞ知る名物があった。ひよこ豆粉、ソルガム粉などを材料にした穀物クッキーだ。

地元で定評のあるパティスリー、セグニに立ち寄った。創業は１９５８年、開放的で清潔感のある店内に山盛りのクッキーがガラスのショーケース内に並んでいる。創業当時からのレトロな箱が歴史を感じさせる。どれも日本の2～3倍はする大きさで、10個で１２０円前後。お土産用なのか30～40個単位で、皆買っていく。

上／手づくりのフムシア工房を営む、シャボニ　下／ジャム入り、ごままぶし、ドーナツ型のクッキーなど３種。レシピは母ゆずり

店を出ると、ラミアは「スファックスで、手づくりのフムシア（ひよこ豆クッキー）の工房を営む女性がいるのよ。これから会うから楽しみにしていて」。

工房の店主はシャボニ（65歳）。店を一人で切り盛りしており、オープンして30年になる老舗だ。

店に入ると、シャボニはすでに準備を始めていた。チュニジアはイスラム教（スンニ派）の国なので、彼女も白いスカーフを巻いている。「シャローム（こんにちは）」。笑顔の美しい、几帳面で折り目正しい上品な女性だった。食べ物にはつくり手の性格がそのまま出るので、まちがいない。そう確信した。

整然とした6～7坪ほどの小さな工房には、直径60センチはあろう、ホーローのタライがテーブルに置いてあった。彼女は大きな袋を持ってきて、カップですくってタライに入れた。ひよこ豆粉だ。次に小麦粉、コーンスターチ、砂糖を投入して手で混ぜる。全体に混ざったところで、大量のひまわり油を注ぎ、また混ぜる。油の量は生地に馴染むくらいが目安だが、粉の割合は、ひよこ豆粉２：小麦粉１：コーンスターチ１／２：砂糖１／２だという。これでおしまいかと思いきや、今度は電動ミンサーに入れて粒子を細かくし、ようやく生地の完成。口触りをよくするためのひと手間だ。

甘いジャムのようなものを中に入れて巻き込んだジャム入りのもの、長さ50センチくらいの円柱に丸めてから切って成形し、ごまをまぶしたもの、幅1センチほどに切って細長く延ばし真ん中を空洞にしたミニチュアドーナッツのものなど、３種類があった。一回に軽く３００～４００個を成形するうえ、すべて手作業だから根気がいる。工房にはクーラーなどないから、生地が暑さでだれる前に仕上げるスピードも要求される。

「レシピは母からのものなの」。彼女はぽつりといった。日本でいえばさしずめ酒饅頭か。かつて地域に1人や2人は、名人がいたものだ。シャボニの母上はきっとフムシアづくりの名人だったに違いない。そのレシピを娘が伝える。スファックス発祥のひよこ豆クッキー、フムシアの小さな物語。世代を超えてつくり継がれることを願ってやまない。

ひよこ豆の種類

ひよこ豆は、2つに大別される。ひとつが「デシ型（小型の豆）」、もうひとつが「カブリ型（大型の豆）」だ。

デシ型はベンガル豆とも呼ばれ、野生種に近い。小粒で色が褐色、表面が角ばってざらついている。インド周辺、エチオピア、イランで主に生産されている。インドのチャナダールは、このデシ型の皮を取り除いて割ったもので、インドの味噌汁「ダール」の豆として使われている。カブリ型は、日本や欧米でよく使われているもの。デシ型よりも粒が大きく、茶色くて表面が丸くつるんとしているのが特徴だ。このカブリ型のほくほく感に魅了され、これをきっかけに豆に開眼する人も多い。

中東編

トルコ

指で握った跡は美味しさのあかし、赤レンズ豆ボール「メルジメッキ・キョフテ」

思い出の国、トルコに時の流れを見た

今をさかのぼること30数年前、トルコを旅した。当時、人文地理学を専攻する大学生だったわたしは、トルコのスラム街「ゲジュエコンドゥ」について学んでおり、フィールドワークの醍醐味にハマりかけていた頃でもある。でも、トルコ語はまったくわからない。

トルコ語と英語の辞書片手に、同行者を探して、あてもなく首都アンカラの街をうろついていたら、「自宅へ来てもいいよ」といってくれる中学生が現れた。ラッキー！ 舗装されていないドロドロにぬかるんだ坂道を登っていくと、登り切ったあたりで、今にも崩れそうな2階建ての家の前で止まった。彼の母親らしき女性が出てきて、彼が片言の英語で通訳してくれたが、何を話したかはもう記

外食より、自分で
つくったほうが
よっぽど美味しいわ

基本情報

首都　アンカラ

主要産業
サービス業（56.5%）、製造業（18%）、工業（27.2%）、農業（6.4%）（2019 年世界銀行より）

言語　トルコ語（公用語）

通貨　トルコ・リラ

旅した期間
2014 年 8 月 20 ～ 23 日

訪れた場所
イスタンブール、ネブシェヒルなど

出会った豆
ひよこ豆、赤レンズ豆、白いんげん豆、レンズ豆など

憶にない。彼女は、トロリとした野菜のポタージュスープを持ってきてくれた。スプーンですくうと白い豆が出てきた。このあっさりした豆スープの思い出が、30年以上たった今と交錯するなんて。不思議だ。

時を経て２０１４年に訪れたトルコは、見違えるほど様変わりしていた。アジアと中東のエキゾチックな空気を漂わせていたイスタンブールは、すっかり「ヨーロッパ化」してあか抜けていた。スターバックスでＰＣやスマートフォンを操る人たち。これまで訪れたヨーロッパやアメリカと、なんら変わらない風景にいくばくかの寂しさを感じていたら、コーディネーターの杉本麻衣子さんがやって来た。学生時代に訪れたトルコに魅せられ、結婚。一児の母である。さぞトルコ贔屓かと思いきや、「日本に帰りたくてしょうがない。子供を持って、ますます帰国願望が強くなった」と、のっけから意表をつく発言に、国際結婚の難しさをはからずも知ることになる。

彼女と一緒に、30数年ぶりのイスタンブールを歩く。珍しい豆を発見、といっても豆の種類としては珍しくないが、日本にはない調理済みの豆を見つけた。

表面の少し焦げた、炒ったひよこ豆だった。皮つき、皮なし、さらに干しブドウが混ざったものも売られている。そのままスナックとして食べるのだが、ほくほくした食感と絶妙な塩味が後を引く。ちなみに日本で一般的な炒り大豆はなく、炒り豆はひよこ豆だけだった。

以前訪れたエチオピアのアディスアベバ郊外で、炒った小粒のえんどう豆スナック（コロ）がはかり売りされていたのを思い出した。もしかすると、炒り豆は世界中で老若男女問わず、広く愛されるグローバルスナックなのではなかろうか。「世界の炒り豆分布図」をつくったら、その国で人気の豆や特徴が見えてくるかもしれない。

赤レンズ豆の「メルジメッキ・キョフテ」、白いんげん豆の「クルファスリエ」

翌日、麻衣子さんの友人である米津智恵子さんが住む、カッパドキアに近いネブシェヒルへ国内線で一気に飛んだ。智恵子さんもトルコ人と結婚し、トルコ人の姑、小姑と同居している。なので、ここを取材の拠点にさせてもらうことにした。豆の取材先や、料理のデモンストレーションも、相談すればなんとかなりそうだ。

米津さんの住む広い平屋のリビングに通された。ソファもなければテーブルもない、妙にガランとした居間だ。その奥に広いキッチンがある。そこにはイスラム女性のトレードマーク、スカーフを被った智恵子さんの姑がいて、昼食の準備をしてくれていた。すでに赤レンズ豆が煮てある。きっとこのあと「メルジメッキ・キョフテ」をつくってくれるに違いない。トルコ語で、メルジメッキとは赤レンズ豆のこと、キョフテとは挽肉などでつくるハンバーグやミートボールのことをさす。でも教えてもらったのは肉なし、赤レンズ豆だけの豆ボールだった。

Cooking

メルジメッキ・キョフテ（赤レンズ豆ボール）

煮えた赤レンズ豆を、手際よくマッシュ。
同時に玉ねぎを刻み始め、フライパンにドボドボとひまわり油を（たっぷり！）注ぎ、熱する。そこへ刻んだ玉ねぎを入れて炒める。頃合いをみて「サルチャ」という発酵調味料（後述）を加え、塩で味を調える。

上／白いんげん豆の炒め煮「クルファスリエ」　下／「メルジメッキ・キョフテ」には握った指の跡が残るようにするのがコツ

これをマッシュしてあった赤レンズ豆に投入。さらに蒸してあった「ブルグル」という挽き割り小麦、刻んだイタリアンパセリ、万能ねぎ、塩を加えて混ぜる。指の跡が残るように、片手で握って長さ4〜5センチの楕円に成形してできあがり。レモン汁をかけて食べる。

豆ボールには、片手で握った指跡がくっきり残る。これを見ていたら、北海道遠軽町で母の友人（当時80代）に教わった蕎麦団子を思い出した。指跡が残る形といい大きさといい、そっくり。手づくりの料理には世界共通、なにか通じるものがあるのかもしれない。

続けて教えてもらった料理は、「クルファスリエ」。トルコ語で、クルとは乾燥した、ファスリエとはいんげん豆のこと。この料理に使うのは白いんげん豆で、北海道の大福豆とほぼ同じ。小ぶりなほうが使い勝手がよいのか、ひとまわり大きい白花豆よりも、海外ではよく使われている。

Cooking

クルファスリエ（白いんげん豆の炒め煮）

白いんげん豆は水に浸けておく。玉ねぎを刻み、多めの油で炒める。そこへ牛肉、サルチャ2種（トマトサルチャとビベルサルチャ）を加え、炒める。水を加えひと煮立ちしたら、豆を投入。豆が煮えたら、塩で味を調えて完成。

日本や欧米であれば、ブイヨンなどの化学調味料を使うかもしれないが、「味が変わる」ので味の素もブイヨンも口に合わない、と嫌っていた。さて、できあがったスープは、2種のサルチャが土台となり、豆の煮汁のコクともあいまって十分な旨味を感じるものだった。豆はというと、皮も口に残らず柔らかくクリーミーな仕上がりで、スープと実によく馴染んでいた。北海道の大福豆でも、同じような食感に煮上がるだろうか。気になる。

日本でいえば味噌!? 発酵調味料「サルチャ」

ここで発酵調味料「サルチャ」について説明しよう。これは煮込みや炒め物など、トルコの家庭料理のベースに使われる重要な調味料だ。トマトが主原料の「トマトサルチャ」と、パプリカが主原料の「ビベルサルチャ」がある。

智恵子さんの姑は、このサルチャをジャムのようにパンに塗って食べていた。さしずめ日本でいえば、味噌にあたるだろうか。そういえばキプロス、レバノンにも同じものがあったっけ。チュニジアの「ハリッサ」もこれに近いかもしれない。

取材がちょうどサルチャの仕込み時期にぶつかったのが幸い、車で移動中に道路わきでこの作業にあたっていた60~70代の人と偶然出くわした。絶好のチャンス！　つくり方を聞く。

Cooking

サルチャ（発酵調味料）

完熟したトマトかパプリカを1週間ほど天日干しして、水分を抜く（智恵子さんの姑はビニール袋に数日入れ、発酵させるといっていた）。その後、つぶして裏ごしし、皮やタネをとる。それを大きなたらいに溜めて、水分がほどよく抜けて固まるまで、天日干しする。さらに塩を混ぜ、重石をして保存する。

材料調達にあたって重要なのは、トマトもパプリカも、真っ赤に完熟した状態であること。そして1年で食べ切ること。2年目以降は味が落ちるのだそうだ。保存にあたり重石をするところがまさに日本の味噌仕込みと同じで興味深い。

今回訪れたトルコは、都市部は劇的に様変わりしていたものの、地方の姿は以前と驚くほど変わっていなかった。

「外食は好きじゃないから、ほとんどしないわ。なにが入っているかわからないしね。自分でつくったほうがよっぽど美味しい」と、60代とおぼしき智恵子さんの姑はいう。この年代の女性が台所を仕切る限り、家庭料理の欧米化は考えにくいだろう。素朴な指跡の残るメルジメッキ・キョフテを口にしながら、わたしは安堵するのだった。

日常食の「レンズ豆」

トルコでレンズ豆は、伝統的に来客やハレの日の料理には使わない。理由は「安いから」。智恵子さんの姑のこの発言が気になり、実際にスーパーでレンズ豆の価格を調べてみた。1キログラムあたり250円。日本に比べたらたしかに安いが、ひよこ豆、ブラック・アイド・ピーズ、緑豆も同じくらいの価格だった。どうやら先の発言は、レンズ豆だけでなく、豆料理全般のことを指していたのではないかと思う。世界的に見ても豆は貧民の食べ物とされ、長らく肉よりも蔑まれていた食材だったのだから。

上／トマトサルチャはパンに塗って食べることも　下／道ばたでサルチャを仕込む

中東編

レバノン

朝から手軽に豆料理、その秘訣は缶詰

豆がいっぱい！　レバノン風朝ごはん

古代オリエント史で「肥沃な三日月地帯」と称される地域に位置するレバノン共和国。この辺一帯は、ひよこ豆の原産地ともいわれている。以前から行ってみたい国のひとつだったが、例のごとくあてはない。いつものように、ありとあらゆる人脈を総動員して足がかりを探すと、レバノンの拠点はいつもと毛色が違った。見つかったのは、なんと首都ベイルート在住の音楽一家だった。元アイドル歌手のマヤ、シリア人であるマヤの夫はピアニスト、そしてその息子で作曲家のベッサン。彼は日本語が少しわかる。豆とはまったく縁もゆかりもない人たち。でも頼みの綱は彼らだけ。大まかな旅の要望を伝えたところ、とても意欲的でしかも親身に、わたしの意向を汲んでくれる姿勢に好感がもて

缶詰を使って
気軽に豆料理！

基本情報

首都　ベイルート

主要産業
金融業、観光業、食品加工業など

言語　アラビア語
（フランス語、英語が通用）

通貨　レバノン・ポンド（LBP）

訪れた場所　ベイルート、タルチチなど

旅した期間
2014年8月30〜9月2日

出会った豆
ひよこ豆、さやいんげん、リマ豆、
そら豆、いんげん豆、うずら豆など

た。「彼らを信じてみよう」、こうしてレバノンの旅はスタートした。

「ふだんの家庭料理なら私がつくれるわ。お安い御用よ」。到着した翌朝、意気揚々とマヤが朝ごはんの支度を始めるのだった。

Cooking

ひよこ豆のフムス

最初にでてきたのは、ひよこ豆のフムス。すでに缶詰になっているものを使う。ここに、にんにく2片とレモン汁を乳鉢ですりつぶし、練りごまも加えて混ぜ、完成。マヤの夫の出身地シリアでは、チリパウダーとクミンパウダーをかけるようで、レバノンとシリアのフムスは微妙に違うと、ベッサンは力説していた。

Cooking

さやいんげんのトマト煮、グリーンサラダ

いんげんの若莢を、にんにく、玉ねぎで炒め、トマトとトマトペーストを加え、軽く加熱して、塩をふってできあがり。

この付け合わせにはグリーンサラダ。ドレッシングはオリーブオイルと、

「ザータル」というレバノンならではのスパイスミックスをかけるだけ。このスパイスミックスには、酸味のある中東のハーブ「スマック」が入っていて、これが味のアクセントとして病みつきになる。

Cooking

リマ豆のサラダ

リマ豆とは、日本では「世界一」「ぺちゃ豆」とも呼ばれる平たい豆だ。豆粒が青々している若いリマ豆を、莢から外して煮ていた。水に浸ける必要もないし、若いので早く煮える。これに、すりつぶしたにんにく、ザータル、オリーブオイルをかける。

上／マヤがつくってくれた、豆たっぷりの朝食　下／石窯で焼く平たいパン「クブス」をつくる

Cooking

そら豆の和え物

マヤがそら豆の塩茹で缶詰を開け、缶ごといきなりガスコンロの直火で温め始めた。温まったら豆をつぶし、にんにくのすりつぶし、レモン汁を豆が浸るくらいと、さいの目に切ったトマト、ざく切りしたミントの葉を混ぜ、塩、オリーブオイルで味を調える。レバノンではラマダン（断食）中のメインディッシュなのだそうだ。

以上で朝ごはんの準備は終了。缶詰のそら豆は小粒で、宮崎県都城で見た「赤そら豆」や、沖縄読谷村でそら豆麹を仕込んだときに原料にした在来そら豆と同じくらいの大きさだった。

今回マヤは、わたしのために、なるべく多くの手軽な豆の副菜を紹介しようとの配慮でつくってくれたのだが、こんなに豆オンパレードの朝食を毎日摂るわけではないことをお断りしておこう。ただしフムスは、朝昼夜関係なく、パンの付け合わせでよく食卓に登場する。日本でいえばご飯のおともといった感じだろうか。

朝ごはんはこれにたいてい、「ハルミチーズ」という熟成の浅いチーズがつき、石窯（クブス・タンノール）で焼く平たいパン「クブス」を小さくちぎり、豆のおかずを挟んで食べる。いちいちパンを小さくちぎって挟むところが、まどろっこしい。いっそのことブリトーのように巻いたほうが食べやすいと思うのは、日本人のわたしだからだろうか。

リマ豆のサラダを見ながら、「そういえば日本では、リマ豆やいんげん豆の若い実が売られているのを見たことがないなあ」と思った。若い実はさっと湯がく程度で食べられるので、時間がかかって面倒だと思われがちな豆料理の先入観を取り払うには、これ以上ない食材のはずなのに、収穫が大変なのか、日本で定着しないのは残念でならない。

若いひよこ豆は枝豆の味

マヤには事前に「豆農家がいれば訪れたい」とリクエストしていた。音楽関係者のマヤに、そうしたルートはなかなかつけにくいだろうと諦めていたら、レバノン滞在3日目、「豆をつくっている農家の友人がいるので、会ってみる？」と朗報が入った。

訪れた農家は、ベイルートから45キロ離れたタルチチ(Tarchich)という町に住んでいた。ビルのオーナー業も営む裕福な兼業農家で、１３、０００平方メートルの農地に、自給作物を中心に数種の豆や野菜を栽培している。つくり始めて15年目だという豆は、ひよこ豆と、いんげん豆3種(白いんげん豆、うずら豆、紫の斑模様のいんげん豆)。ちょうど斜面に沿って白や薄紫の可憐な花を咲かせている。

豆の横にはトウモロコシが植わっている。まるで夫唱婦随。豆とトウモロコシが分かちがたく寄り添うようにして育つ姿を、ほんとうに世界各地で目にしてきた(メキシコの「ミルパ」参照)。

トウモロコシは窒素肥料を多く必要とする作物なのに対し、豆は空気中の窒素を根に固定して畑を肥やしてくれる。すなわち、両者は補完関係にあるわけだ。おまけに蔓性のいんげん豆に必要な支柱も、トウモロコシの茎がその役目を担ってくれるから、支柱を立てる手間が省ける。世界の小農はこうした自然のメカニズムをうまく取り入れて、限りある資源を無駄にすることなく農業を営んできたのだ。すごいなあ。

　畑を眺めていたら、マヤの友人でこの農家の嫁であるラムザが鈴なりの莢豆をもぎ始めた。向こうの畑では彼女の息子が、なにやら青い実のついた若い豆殻を胸いっぱいに抱えている。

　彼が「ほら」といって渡してくれた莢を開けてみると、ヒヨコのくちばしのような形の、青々した豆が顔を出した。あ、ひよこ豆だ。これをどうするのかと聞くと「さっと湯がいて食べる」という。なるほど若いひよこ豆は、枝豆のようにして食べるのか。もしかすると、たくさんとれる地域ならではの食べ方かもしれない。かじってみるとほろ苦い。生の枝豆もこんな味だっけ。欧米でも、ひよこ豆は定番の豆だが、若莢を食べるなんてこれまで聞いたことがなかった。

　ラムザが「さやいんげんのオリーブオイル漬けがあるわよ」と家の方で呼びかける。今度は保存食だ。2リットルは入りそうな大きなガラス瓶が並ぶ。茹でたさやいんげん、にんにく、パプリカ、くるみ、塩、唐辛子、オリーブオイルを注いで、密閉するだけ。瓶から出してそのまま食べるのだが、くるみの食感がアクセントになってとても美味しい。同じ場所に、ラムザの姑が仕込んだトマトペーストや、くるみの実の甘煮もストックされていた。

中米、ヨーロッパ、中東……あらゆる国の台所、地下室、貯蔵庫で、大きなガラス瓶に入ったさやいんげんや、きゅうり、トマトなど、夏野菜の保存食をどれほど見たろうか。特に冬になると野菜が高騰する寒冷地では、夏の間にありあまるほどとれた野菜や果物を、さまざまな漬け物（塩漬け、砂糖漬け、酢漬け、オイル漬けなど）にして保存する。昔から、人々は知恵を凝らして冷蔵庫がなくても、さまざまな食材をこうした保存食にして食べてきたのだ。ひょっとしたら若いひよこ豆の保存食も、探せば出てきたかもしれない。今後の課題としよう。

上／豆農家の畑で。まだ若いひよこ豆の豆殻を抱えている　下／若いひよこ豆は、さっと湯がくだけで食べられる

中東編

オマーン

経験知で100年つなぐ「できちゃった」在来ささげ

豆の国、中東へ行きたい！

中東へ行きたい。理由はいつも同じ。ひよこ豆、レンズ豆、そら豆などをよく食べる、豆食の国々だと聞いていたからだ。

ところが外務省の海外安全情報を見ると、中東一帯はほぼレベル3か4。つまり渡航中止勧告や退避勧告の国ばかり。「縁がないなあ」と諦めていたとき、チャンスが巡ってきた。

所属する婦人団体主催のオマーン料理を学ぶ会で、オマーン大使夫人や広報担当者に話を聞くことができたのだ。さっそくお願いして、現地の農務省にコンタクトをとってもらい、1年後、ついに中東のオアシス、オマーンの地に降り立つことができた。

街を歩くアラブ男性は純白の、それこそ白いペンキでも塗ったような民族衣装を着ている。ディスターシャだ。生地が糊で固められているので、風に吹かれてもドレープすらできない。まるでパリッと糊をきかせたシーツのようで、肌にあたるとちょっと痛そうだ。

コーディネーターのアジズがアポイントメントをとってくれた農家は、首都マスカットから南西へ160キロ行った都市ニズワに住んでいた。

玄関口から出てきた男性もまた、ディスターシャを身にまとい、顎のまわりに白い髭を生やしていた。彼の名はアブドゥル（60歳）、鷹の目のように眼光鋭い、動作が機敏な細身の男性だ。

挨拶を交わしているうちに、いつのまにかほかの男性たちがぞろぞろやって来た。行政職員か農業

上／アブドゥルの家で、生のデーツをお茶請けに豆の話を聞く
下／在来ささげを、豆殻と一緒に保存

基本情報

首都　マスカット

主要産業
石油・天然ガス関連業（国家歳入の約7割）、農漁業、観光業

言語　アラビア語（公用語）、英語も広く通用する

通貨　オマーン・リアル（RO）

旅した期間　2016年8月31～9月3日

訪れた場所　マスカット、ニズワなど

出会った豆
2種のささげ（マルハリなど）、ひよこ豆、いんげん豆など

真っ黒の在来そら豆。自家採取歴40年

煮ると色が赤くなる、在来ささげ「マルハリ」

関係の役人たちだろう。地続きのテラスのような屋根のある場所に通される。地面に直接絨毯が敷かれてはいるものの、椅子やテーブルがない。お茶請けに、生のデーツと在来ざくろ、ミネラルウォーター、紅茶、そして銀器のフィンガーボウルが、絨毯の上に置かれていた。まずフィンガーボウルで手を洗う。ドングリを大きくしたような形をした生のデーツは、見るのも食べるのも初めて。柿のように、ねっとりした甘さ際立つ果物だった。

在来豆の「できちゃった文化」

アブドゥルは中規模農家で、自家用の豆としてささげ2種とひよこ豆、そして「ルビア」と呼ぶいんげん豆をつくっている。

「つくりはじめて100年はたつと思うよ」とは、なんともテキトーな答え。いつからつくっているのかわからないときは、日本でも海外でもこの「100年」という数字が返ってくる。そんなことどうでもいいじゃないか、とでもいわんばかりに。「100年前」とは、「かなり前」と同義語なのだろう。

古今東西、在来豆の生産者（特に70代以上）は皆、総じてこんな感じだ。特別大事にタネをとっているわけでもなく、気がついたら１００年は超えていた、というわけだ。でも庶民の食文化とは、案外こんなものではないかと思う。誰か、あるいはなにかに強制され、つくらされているのではない、結果としての「できちゃった文化」。在来豆も「できちゃった」在来豆なのだ。

「畑を見るかい?」とアブドゥル。正午前、外は焼けるように暑い。砂埃が舞うカラカラに乾燥した農地に、ささげが青々と茂っている。在来ささげ「マルハリ」だ。

畑の周囲に広がる緑といえば農地くらいでゴツゴツしたはげ山が遠くに見える。ちょうど折しも、ささげは花が咲き始めた頃。さすが乾燥地が適地のささげ、降水量が少ない土地でも隆盛に繁茂して

上／青々と茂る在来ささげ「マルハリ」の畑　下／素朴な貯蔵庫には玉ねぎなどの野菜、豆を保管

いる。目を見張る草勢なので、特別な栽培法があるのかもしれない。すかさず彼に聞いてみた。

「ずっと昔から、肥料は動物の糞だ。化学肥料を使った時期もあったけれど、高くつく。それに比べて家畜の糞からつくる堆肥は金がかからないし、元々ささげは肥料がなくても育つから」「虫よけ？植物や木の灰を水で希釈して散布する。だいたいこれで間に合う」「フェネグリーク（マメ科のハーブ）を入れてアルミ缶に保管すると、虫がつかないんだよ」

なるほど。体験から答えを導くあたり、さすがと思う。お金をかけないことが目的のひとつとはいえ、身の回りのものを有効に使い、作物の個性をいかし、その性質に寄り添う農業を地でいっている。これぞ「あるがままのオーガニック」なのに、当の本人は、そんなことといっさいお構いなし。鼻にかけるどころか、そもそもオーガニックの商業的価値を知らないし、知る気もない。実に身の丈に合った「できちゃった有機農家」なのだった。

人間も家畜も食べる、自給用ささげ

英語ではささげを〝cow pea〟と呼び、その名のとおり家畜も食べる豆なのだが、欧米人はそれゆえか「ささげを好まない」と聞いたことがある。
「ささげは、年3回とれるんだ。1回目と2回目にとれたものは、自分たちが食べる。3回目は家畜の餌さ」

ささげ畑を見せてもらった後、アブドゥルは、貯蔵庫らしき場所に案内してくれた。といっても、デーツか何かの植物の細い幹や枝を組み上げた、1坪ほどの、言葉はわるいが掘っ立て小屋だ。北海道で冬季、野菜などを貯蔵する小屋「岡室」よりも簡素なつくりだ。

小屋にはにんにくを10個ほど束ねたものが3～4束、吊るしてある。年季の入った今にも壊れそうな木箱には玉ねぎが箱いっぱいに放り込まれ、その横には大きな玉ねぎがネットに入って7～8袋、ゴロゴロ転がっている。10人家族だというから、このくらいあってもよいのかもしれないが、それにしても量が多い。

ささげは、豆殻ごとビニール袋に詰められていた。野菜のストックに比して、豆はたった1袋？　隣のボロボロの麻袋に入っていたのが豆だとしても、たった2袋とは少ない。年3回も収穫するから、そんなにストックしておく必要もないのだろうか。

「（ささげの）マルハリは、煮ると色が赤くなるんだ」。不思議だよなあ、といわんばかりに彼が手に取った現物を見ると、紫色と薄茶色のマーブル模様だった。日本のささげより一回り大きくて、ぷっくり湾曲している。へそのまわりが黒いのは、日本のささげと一緒。もう1種類は薄茶色のささげで、豆殻と一緒にビニール袋にストックされている。

マーブル模様のマルハリを煮ると赤く色づく、とアブドゥルは当たり前のようにいうけれど、果たしてほんとうにそうなのだろうか。この目で確かめたいと後ろ髪を引かれつつ、ニズワを後にした。

＼中央アジア・欧州編／

アゼルバイジャン

なんでもない日の豆料理に舌鼓を打つ

バターたっぷり豆ご飯の懐かしい味

カスピ海の西に位置し、ヨーロッパとアジアが交錯する国、アゼルバイジャン。バクー油田や天然ガスなど豊富な天然資源に恵まれ、経済成長を遂げるもののインフレが続き、「人々の生活水準は決してよいとはいえない」と、通訳のショラットは空港から首都バクーへ向かう車中で、自国を憂うがごとく説明してくれた。灰色の煙をあげる油田が点在している。

「バクーから３００キロほど離れたナフタランという都市では、古くから医療目的の原油が採掘されています。バクー近郊に、そのサナトリウムもあるんですよ」と彼は続ける。日本でいえば、湯治場温泉みたいなものか。石油なんかに浸かって、その匂いは残らないのだろうか。いろいろな疑問が頭の中をかけめぐる。豆の取材はこれからだというのに、ナフタランに完全に気持ちがいってしまった。白状すると滞在最終日、隙間の時間を縫ってそのサナトリウムで、足湯ならぬ足油を試みるに至る。マリモが群生した沼のようにドロリと濃い緑色の原油は、頭が痛くなるような匂いもなく、足を浸けるとひんやり、不思議と癒やされるのだった。

　バクーを後に、南西に約２３０キロにある村、アラズバリ（Arazbary）を目指した。ここにはＡｚｅｒｓｕｎというアゼルバイジャン最大の食品会社の支社がある。飛び込みで在来の豆と豆料理について調べたいので、協力者を紹介してほしいと相談を持ち掛けた。大企業なので敷居が高そうだ。しかも飛び込みときた。無礼と思われても当然。すると意外にも「家が近いので、これからうちに来るかい？」と、面会に応じてくれたシャヒンという男性が、あっさり引き受けてくれた。地獄に仏。善は急げだ。

　シャヒンの自宅は、彼の言うとおり支社のすぐ近く、車で数分のところだった。突然の来客、しかも見ず知らずの日本人ときた。ロシア系と思しき彼の妻のバエイエが、なにごとかといった表情でわたしたちに挨拶する。「ふだん食べている豆料理をつくってほしい」単刀直入切り出した。「は？」あまりにも唐突なリクエストに戸惑いの色を隠せない。

「なんでもかまいません、ご馳走でなくていいんです。ふだんのがいいんです」

「じゃあ、豆ご飯はどう？」

お客には肉を
ふるまうのが
礼儀なのさ

基本情報

首都　バクー

主要産業
石油・天然ガス、石油製品、鉄鉱など

言語
公用語はアゼルバイジャン語（テュルク諸語に属し、トルコ（共和国）語やトルクメン語に近い）

通貨　マナト

旅した期間　2016年9月5～9月8日

訪れた場所
バクー、アラズバリ、イスマユルなど

出会った豆
ささげ（ブラック・アイド・ピーズ）、ひよこ豆、うずら豆など

決まった。アゼルバイジャンの豆ご飯。すぐさまデモンストレーションがスタートした。水道のないキッチンには、大きなバケツやタンクに水が溜めてあった。近くにある公共の給水所に1日数回、水汲みに行くようだ。そしてポータブルのガスボンベはなんとコンロと一体型で、ボンベの上に直に鍋を置いて調理する。ストッパーなどないから、鍋がずり落ちないか危なっかしくて気が気でない。そんなことは一切気にせず、バエイエはいつものように豆を炊く。

「ルビア、この豆を使うの」といって彼女はプラスティックケースに入ったブラック・アイド・ピーズを持ってきた。「ルビア」とはペルシャ語でいんげん豆を指す。中東、中央アジアでは、こう呼んでいるが、正確にはへその黒い白いささげだ。自給用に毎年作付けしているという。

洗面器のような容器に豆を入れ、水を数回取り換えながら洗う。日本ではこの形の容器で顔やからだを洗うので、どうも違和感がある。でも世界各国で、食材を洗ったり和えたり、さらにはご飯の器としても、なにかにつけてこの洗面器みたいな容器は登場するのだった（材質の違いはあるが）。

「時間があるときは豆を水に浸けるけど、今回は急ぐから浸けない」「沸騰

上／シャヒンの家でふるまわれたご飯。グリルした羊肉やフルーツも　下／バエイエがつくってくれた、ブラック・アイド・ピーズの豆ご飯

したら火を弱めて、「豆がやわらかくなるまで煮るだけよ」と、豆を煮ることにまったく抵抗を示さない。彼女に限らず、水に浸けなければならないとか、時間がかかるとか、煮方がむずかしいとか、日本人がよく言う文句をアゼルバイジャンではついぞ、聞くことはなかった。

Cooking

ブラック・アイド・ピーズの豆ご飯

鍋にブラック・アイド・ピーズを３００グラムほど目分量で入れ、塩と水を加えて加熱。沸騰したら豆がやわらかくなるまで煮る。

豆を煮ている間に、白米（長粒米）を洗って別の鍋に入れ、なみなみと水を注いで火にかける。沸騰したら火を弱めて、10数分加熱。その後、アルミのザルの上で鍋の湯をジャーッと一気に捨ててから、ザルに残ったご飯を鍋に戻す。煮ておいたブラック・アイド・ピーズを混ぜて、蓋をして10分くらいさらに極弱火にかける。最後にバターをたっぷり混ぜてできあがり。

米を炊くとき、水の量は計らない。そして沸騰した湯はいさぎよく捨ててしまう。湯取り法だ。米のおネバ、つまりでんぷん質を取り除いてパラパラに炊き上げるのだ。「ああ、もったいない……」と見ていたが、できあがって蓋を開けるとしっとり、しかもパラパラに炊き上がっていた。

最後に混ぜるバターは自家製で、ガラス容器にたっぷり入っていた。アゼルバイジャンでは、やたらとバターを多用する。肉の保存に、塩を加えて溶かした液状のバター（メルティッドバター）を使うこともあるようだ。フランス料理のコンフィみたいな感覚なのだろう。

屋外のテーブルにはバエイエの夫シャヒンが、食事の支度をしていた。串刺しにしてかまどでグリルした、羊肉、トマト、じゃがいもがある。そしてサラダ用のトマトときゅうりはスライスして皿に盛られ、ブドウとリンゴ、パン、そしてお茶が用意されている。彼曰く、客人に肉がないのは非礼に当たる。その配慮に心が痛む。

パラパラしたできたての豆ご飯が、大皿に出てきた。バターたっぷりのささげご飯。無性に醤油をかけて食べたくなった。子供の頃、お釜の底にこびりついた熱々のお焦げに、祖母がバターと醤油をかけてつくってくれた、バターご飯を彷彿とさせるアゼルバイジャンの豆ご飯だった。

忙しい朝にも豆料理、うずら豆のスクランブルエッグ

毎日のように食べる豆料理は、ここにもあった。バクーから西へ180キロ、コーカサス山脈の南にあるイスマユル。標高750メートルの、ワインの産地としても知られている小さな町だ。風情のある石畳の細い路地、古い小さな乾物屋には、ひよこ豆、ブラック・アイド・ピーズ、ピーナッツ、野草、スパイスが袋に入って、量り売り用にずらりと並んでいる。わたしたちの乗る車が荷台を引っ掛けやしないかと心配なくらい、道が細い。坂を上っていくと石造りの家が見えてきた。

「どうぞ、どうぞ」。ムームーのようなゆったりした青い柄のワンピース姿の女性バノブシャ（71歳、英語でバイオレット）がちょっと緊張した面持ちで出迎えてくれた。外国人のゲストは初めてだという。娘バファ（37歳）がすでに、わたしたちのために料理を用意してくれていた……ところまではよかったのだが、肝心の豆料理がない。「家庭料理や郷土料理であれば、なんでもいいです」と、ハードルを下げたせいだ。しょうがない、まあよしとしよう。2日間滞在予定だからあとでお願いすればいい。

出てきた料理は「ドブガ」というご飯の入ったヨーグルトスープ（豆を入れるレシピもあるようだが、今回は入っていなかった）。ディルやミント、コリアンダーなどの香味野菜たっぷりで、しかも温かい。味は思いのほか美味しかった。それから「ドルマ」というトマトやピーマンの肉詰め。トルコでもよく見る料理だ。メインディッシュには、中の詰め物に乾燥プラムがたっぷり入る「スタッフドチキン」と、祭

りや行事につくる「シリンゴガール（Shorgoghal、ショルゴガルとも）」というアゼルバイジャンならではの甘いペストリー。どれも郷土料理で家庭料理なのだが、肝心の豆がない。莢豆すらないのだった。心の中でため息をつく。落胆は大きかったが、文句は言えない。そこで、豆料理に話をふることにした。聞くとどうやら豆は冬季の食材らしく、夏の今はほとんど食べないようだ。食べるときは５人家族で１カ月15キログラム、１人当たり１日１００グラムは食べることになる。まずまずの量か。

「あ、そういえば、よく食べる豆料理があったわ。ふつうゲストには出さないから気づかなかったけど」とバファ。ほらきた！　あるじゃないか、隠れ豆料理が。

チャンスとばかりに「それって、どんな豆料理ですか?」聞き返すと、「ルビアのスクランブルエッ

上／いつも食べている豆を見せてくれた、バノブシャの娘バファ
下／バノブシャがつくってくれた、うずら豆のスクランブルエッグ

グ。名前なんてないんだけど、朝食に食べているわ」
「ルビアって、どの豆ですか？」とわたし。「これよ」といって、直径60センチはあろうアルミのトレイを持ってきた。日本で見るうずら豆や白いんげん豆と似た豆が、トレイ一面に広げてある。
「ぜひ、そのスクランブルエッグをつくってもらえないでしょうか？」懇願した。「いいわよ」とバファ。粘って正解。明日が本番と心の中でつぶやく。翌朝、台所ではバファが豆を炊いてくれていた。

Cooking

うずら豆のスクランブルエッグ

炊いたうずら豆をザルにあけ、豆をマッシャーで潰す。潰し方は粗く、豆粒が残るくらい。フライパンに植物油をたっぷり入れ、玉ねぎのみじん切りを炒める。油が多いので、炒めるというより揚げ煮だ。玉ねぎが薄く色付いたら、マッシュした豆を入れると、ジュッといい音がする。最後に溶き卵を一気に加え、大きく混ぜてから塩を加え、半熟で完成。

豆のマッシュが入るところが、アゼルバイジャンならではなのか、バファの家ならではなのか定かではないが、ものの数分ででき、忙しい朝でもパンに付け合わせて食べる、限りなく西洋風のスクランブルエッグだった。イスマユル最終日の朝、滑り込みセーフでようやくありつけた隠れ豆料理に舌鼓を打つ。ラストチャンスに賭けてよかった、と思い出深い一品であった。

ウズベキスタン

緑豆と肉と野菜の煮込み「モシフルダ」は家々の味

スープかおじやか？　「モシフルダ」の深い味

シルクロードの内陸国として栄えたウズベキスタン。とりわけブハラ、サマルカンドは貿易の要衝であり、異文化が交錯する砂漠のオアシスとして知られている。キルギス同様、もともと遊牧が生活の基盤だった国だけに、在来の豆には出会えず空振りに終わるかもしれない。一抹の不安を抱きつつも、首都タシケントに降り立った。ところが着いて早々、なんとも解釈に戸惑う豆料理に出会う。シルクロードを通じて中国、インドから持ち込まれたと思しき、豆料理なのだった。その名は「モシフルダ（Moshxoʻrda）」。緑豆と肉と野菜の煮込みで、寒い冬に食べる家庭料理の代表格だ。ウズベク語で「モシ」は緑豆、「フルダ」はポタージュやシチューなどトロミのあるスープを指す。

わたしが不思議に思ったのは、インド原産で高温多湿な気候が栽培適地である「緑豆」がなぜ、ウズベキスタンのような乾燥地の郷土料理に使われているのかということだった。たいてい郷土料理は、いわゆる「地のもの」でつくられるが、緑豆は明らかにそうではない。この疑問を抱えたまま、取材は続くのだが、このモシフルダ、家々によって微妙に味付けやできあがりが違うのだった。

まず2つの家庭のモシフルダを取り上げてみよう。

まずはタシケント在住の通訳、シュフラットの妻ダリヤ(34歳)がつくってくれたモシフルダから。緑豆、肉(牛肉か羊肉)は必須で、ダリヤは羊肉を使う。肉の種類は家族、特に夫の好みに左右される。豆はたいてい緑豆のみだが、彼女は赤いんげん豆も入れていた。

タシケントの市場で売られていた緑豆

Cooking

モシフルダ(ダリヤ版・緑豆と肉と野菜の煮込み)

赤いんげん豆は先に煮ておく。鍋にひまわり油を入れ、羊肉、玉ねぎを炒める。玉ねぎがしんな

モシフルダは
家庭ごとに
味が違うのよ

基本情報

首都　タシケント（Tashkent）	**旅した期間** 2017年7月30～8月6日
主要産業 綿繊維産業、食品加工、機械製作、金、石油、天然ガス	**訪れた場所** タシケント、ブハラ、サマルカンドなど
言語 国家語はウズベク語＊。またロシア語も広く使用されている。	**出会った豆** 緑豆、赤いんげん豆、ささげ（ブラック・アイド・ピーズ）、いんげん豆、ひよこ豆など
通貨　スム	

＊テュルク諸語に属する。ただし、タシケント、サマルカンド、ブハラなど、主として都市の諸方言はペルシア語の影響を強く受けている）

りしたところでトマトを投入。水、緑豆を加え、8分通り煮えたところで、トロミ付けの米と、じゃがいも、人参、さやいんげんを入れ、じゃがいもが煮えたら、赤いんげん豆と、パセリ、バジル、ディルなどの香草を入れ、塩で味付けして完成。

後でわかったことだが、モシフルダには、シャバシャバしたスープタイプと、ドロリとしたおじやタイプの2種がある。ダリヤのはミネストローネ風の、あっさりしたスープだった。彼女はモシフルダの調理中に手際よくもう一品、豆料理をつくり始めていた。段取りといいスピードといい、まるで料理人、主婦の域を越えていた。

Cooking

赤いんげん豆のサラダ

ダリヤが棚からミンサーを出してきた。羊肉の塊を器械の上から入れたかと思うと、けたたましい音をたてて肉がミンチになって出てきた。どうりで市場の肉屋で挽肉がないわけだ。ウズベキスタンでは、挽肉は買うものではないらしい。

　フライパンで玉ねぎを炒め、しんなりしたら挽肉を加えて、塩とマサラ（クミンなど数種の自家製スパイス）で味を調える。洗面器のような大きな容器に、この挽肉炒めと赤いんげん豆、パクチーを加え、すりおろしにんにくをたっぷり混ぜ、塩で味付けしてできあがり。

「タシケントの豆サラダです」と、コーディネーターのマリカさん。「タシケントのお祭りや行事に必ず食べます。タシケントに住む人だけの豆料理なのです」。たどたどしいけれど、丁寧な日本語で説明してくれた。野菜よりも肉が多く、サラダとはいいがたいのだが、後で調べたらグルジア由来の料理らしく、とても美味なるスタミナサラダだった。

　次にモシフルダを求めて向かった先は、同じタシケントに住むショクシスタ（56歳）。夫が政府から表彰されるほど優秀なバスの運転手で、広い中庭のある3世代同居の豪邸に住んでいた。材料はダリヤとほぼ同じだが、緑豆のほかにブラック・アイド・ピーズを使うところがオリジナル。緑豆：ブラック・アイド・ピーズ＝5：1で入れる。どちらも水に浸けずアクも取らずに、やわらかくなるまで煮るだけだが、できあがったモシフルダはドロドロしていた。

　まるでおじやだ。お味のほどは、こちらもダリヤと大差なし。塩味のみの滋味深いシンプルな味付けだが、五臓六腑に染みわたる。寒い冬は、さぞからだが温まることだろう。

「もうひとつ、「豆料理よ」といって、ショクシスタは炊飯器を開けた。なんとひよこ豆と肉が入っている。「シュラクっていうの」。ひよこ豆と羊肉を塩でただ煮るだけの、いたって簡単な豆料理だが、肉の出汁が効いていてこってりした旨味がある。決め手は骨付き肉と羊の脂身。もともとはサマルカンドの名物らしいが、まさかタシケントで、しかも炊飯器で調理された豆料理が出てくるとは、意外だった。

豆と米いっぱいの、田舎版モシフルダ

モシフルダを追う旅はまだ続く。タシケントから南西へ５７０キロ離れた砂漠の中の町ブハラ。旧市街は世界遺産に登録されている美しい町で、道端には地面に直置きでゴロゴロ並ぶ大きなスイカとメロンが、１００円もしない価格で売られていた。こうした乾燥地帯では灌漑用水がないと農業がたちゆかないと聞いていたが、スイカとメロンに関しては別格で、砂漠の乾燥がむしろ豊潤な実りをもたらし、しかも日本のスイカではありえないくらいの糖度を貯える。極限の乾燥がここまで糖分を引き出すことに、畏敬の念すら覚えるのだった。

ブハラの中心地から少し離れた農村が、今日の取材場所だ。路地を抜けて、土壁の伝統的な家屋に到着した。家のつくりは古く、断熱材の代わりなのだろうか使い古したマットレスが、剥がれた土壁から露わに見えている。敷地内には牛2頭と鶏がいて、畑には青々したいんげん豆とささげが実を付けている。若莢は今が食べ頃。

上／豆と米いっぱいのモシフルダ
下／できあがったモシフルダを皆で食べる

モクシラ（63歳）と、娘2人が迎えてくれた。居間を仕切った隣の部屋にかまどがある、実に簡素なつくりだ。綿花を収穫した後の茎や枝が山のように積まれているところを見ると、かまどの燃料なのだろう。

中国やキルギスでも見た、かまどに据え付けられた直径60センチはある大きなアルミ鍋に、茶色い油を注いだ。ごま油か？　それにしては香りがない。茶色い油の正体は、綿実油だった。近年減ってきてはいるものの、ウズベキスタンでは、綿花が換金作物として栽培されている。焚き付けに利用されているのも合点がいった。まずはモシフルダから。

Cooking

モシフルダ（モクシラ版・緑豆と肉と野菜の煮込み）

油が熱くなったところで、ひと口大に切った羊肉を投入。ジュッといい音がする。次に玉ねぎ、じゃがいも、人参、ピーマンを加え、全体に火がまわったら、畑でとったブラック・アイド・ピーズと市販の緑豆、すりおろしたトマトを加え軽く炒める。

塩、マサラと、なにやら白い粉を入れた。味の素だ。人差し指の爪が隠れるくらいの水を入れ、蓋をせず煮る。時折、綿花殻をくべると鍋は終始熱々、ジュージューと美味しそうな音を立てる。緑豆がやわらかくなったところで米を加え、15分くらい火を入れて完成。

米と豆が水分を吸って汁気がほとんどない、リゾットのようなモシフルダになっていた。大きな平皿に盛りディルとコリアンダーをトッピングする。

ちなみに、ウズベキスタンで味の素を見たのは、モクシラのところだけだったのだが、ウズベキスタン料理は数種のスパイスや動物の脂身が旨味のもととなり、化学調味料を使う必要はないほどパンチの効いた濃厚な味が特徴だ。

客間に料理が運ばれる。床には長方形の敷物が敷かれ、その上に料理が並ぶ。テーブルはない。大皿のモシフルダと、付け合わせにヨーグルト、トマトサラダ、ブドウ、メロン、そして毎食欠かせない自家製のパン「ノン（直径30センチくらいの円盤形のパン）」がある。それに紅茶か緑茶をいただく。お茶にミルクや砂糖は入れない。

皆で、モシフルダをスプーンでつつきながらすくって食べるのだが、食べ方がユニークだった。というか、わたしにはとても食べにくかった。スプーン半分にヨーグルトかサラダを盛り、残りの半分にモシフルダを載せ、口に運ぶ。この繰り返し。いちいちこうやって食べるのは、慣れないせいかまどろっこしい。銘々のお皿にサラダ、ヨーグルト、モシフルダをとって、気兼ねなくばくばく食べたい……と思うのは、わたしだけらしい。

ノンも、敷物の上に大きいまま丸ごと数個直置き、皆で小さくちぎっては食べ、ちぎっては食べを繰り返す。ノンがなくなると、端から端へ投げてよこす。あらかじめ食べやすい大きさに切り分けたほうが、取りやすいし衛生的なのに、と、つい思ってしまった。

こだわり満点！　ひよこ豆の炊き込みご飯

次のターゲットは、炊き込みご飯の「プロフ」だ。タジク語で「オッシュ」とも呼ばれ、今回はひよこ豆の炊き込みご飯だった。ウズベキスタンではふだんの食事にも冠婚葬祭にもつくられる、日本でいえばお赤飯のような存在だ。材料といい調理の仕方といい、とてもこだわったプロフのつくり手がいた。アレックスモナカ（54歳）。美術品販売の経営者で、アートにたずさわるだけあり、彼のつくるプロフには独特の感性が反映されていた。

最初に面食らったのは、16種類ものスパイスをブレンドした自家製マサラだ。ドライトマト、コリアンダー、クローブ、ディル、ベイリーフ、クミン、ブラッククミン、アニス、カルダモン、パプリカパウダー、ターメリック、ナツメグ、ブラックペッパー、ジンジャーパウダー、ドライガーリック、バルバリス（メギ科ヘビノボラズの赤い実）から成る。

日本では馴染みのないバルバリスは、イランでは「ゼレシュク」と呼ばれサフランライスにもトッピングされていた。ぱっと見「ブラックベリー？」と思ってかじったら、タネがやたら多くて食べにくかったのを思い出す。

上／アレックスモナカがつくってくれたプロフ　下／プロフを炊く時は「カニ穴」を開けて炊き上がりを均一に

屋外のかまどで、アレックスモナカのつくるプロフの調理が始まる。

Cooking

プロフ（アレックスモナカ版・ひよこ豆の炊き込みご飯）

かまどに備え付けの大きな鍋はすでに熱々。そこへ、お椀1杯の黒い油を入れた。「パンプキンシードオイルと、メロンシードオイル（瓜の実油）のブレンドだよ」とアレックスモナカ。メロンといっても日本でいう野菜の瓜で、ほかの植物油よりコクがある。

大きな骨付き牛肉を塊で入れて塩を振り、両面焼いたら玉ねぎを投入。油が多いので揚げ煮する感じだ。ジュージューという音が食欲をそそる。

玉ねぎが色付いたところで、せん切りの人参（プロフに使う人参は甘味の少ない黄色い人参）を、肉を覆うように入れたら、にんにく2個と青唐辛子2本を丸ごと鍋の隅に置き、オリジナルマサラを振る。さらにひよこ豆を加え、かぶるくらいの水を入れて煮る。ひよこ豆に火が通ったら、にんにくと青唐辛子を取り除く。これらは風味付けらしい。

レーズンを鍋の隅に入れ、塩を振り、具材を覆うように米を被せ入れ、水を静かに注ぐ。ひたひたより少し多いくらい。終始一貫して具材は混ぜず、重ね煮の要領だ。

さらにかまどの火を強め、ひと煮立ちしたら、被せた米の部分だけ混ぜる。ここでも具材は混ぜない。麺棒を持ってきたと思ったら表面に数カ所、穴を開けた。あえてカニ穴をこしらえるのか。

これで炊き上がりが均一になるらしい。その穴へ、ちょろちょろと静かに水を注ぎ、蓋をして強火で数分。完成！

このクリエイティブな調理法は彼のオリジナルで、誰かに教わったレシピではないという。素材を生かす方法を心得ているところが、まるでプロの料理人の如し。

炊き上がったら平皿に盛り、スライスした牛肉と、途中で取り出したにんにくと青唐辛子をトッピングする。パラパラしたご飯がオイリーではあるが、レーズンの甘さと16種のスパイスが絶妙に溶け合ったエキゾチックなプロフに仕上がっていた。

ひよこ豆は、ダイナミックに盛られた肉の味にかき消されていて、危うくその存在すら忘れてしまいそうだった。ひよこ豆だけ食べてみた。骨付き肉の濃厚な出汁と脂を吸って、ご飯に寄り添うような滋味深い味に炊き上がっている。名脇役。そんな表現がぴったりくる豆の味だった。

ひよこ豆も肉もない、「山のクミン」のプロフ

ブハラを後にして東へ２７０キロ、サマルカンドにやってきた。青の都と呼ばれる美しい都市だ。コーディネーターのマリカがアレンジしてくれた、チャイハナとよばれるお茶や軽食を出すカフェのような場所に向かう。サマルカンド郊外なので観光客はほとんど来ない。地元客でにぎわっていると

いうので、地元の豆料理に出会えるかもしれない。ところが期待は裏切られた。朝食だったこともあり、豆料理がメニューにない。空振りに終わる。

この後、取材はひとつも入っていない。さてどうする。となれば、飛び込み取材だ。料理デモンストレーションを引き受けてくれる人が見つかるまで、渋る通訳をけしかけて1軒1軒聞いて歩くことにした。

まず、60代以上が住んでいそうな旧式の家からアプローチすることにした。が、2〜3軒当たってみたものの、ことごとく「ノー」。無理もない。日本だったらありえない話だ。ダメもとで、屋外にいた年配の女性にアタック。すると「ちょうど昼ご飯をつくるところだったから、いいよ」と、すんなり二つ返事でＯＫをもらう。ラッキー！　あまりの即答に拍子抜けしてしまったくらいだ。

調理をしてくれるのは、ホシヤット（63歳）。ぽっちゃりしたダルマ体型の気前のよいおばさんといった風貌で、息子夫婦と同居している。家のつくりは土壁で相当古く、天井は綿花殻で覆われていた。鍵のかかった倉庫には、はちみつ、コンポート、ジャムなど大量の保存食がストックしてあった。煉瓦を重ねて厚い板を渡しただけの簡易棚に、大きなアルミ缶がふたつ。中には畑でとれたひよこ豆が20〜30キログラム、缶いっぱい入っていた。ホシヤットのところでは、自家用にひよこ豆とブラック・アイド・ピーズをつくっているのだった。

屋外のかまどは両サイドに泥を盛り上げて固め、まんなかに薪をくべるスペースを設けた旧式のかまどだった。そこへ鉄の鍋を置き、手前には鉄棒を渡して湯を沸かす鉄瓶が吊るしてある。調理が始まった。

Cooking

プロフ（ホシャット版・山のクミンの炊き込みご飯）

ホシャットは、鍋に大きなお椀いっぱいの茶色い液体を入れた。またしても綿実油だ。熱した油に、玉ねぎのスライス、トマト、人参、塩を入れ、ジュージュー炒める。次に洗って水切りした米を投入し、さらに炒める。綿花殻を焚き付けにして、鍋の脇から炎が燃えさかる。揚げているかと思うくらい油が多い。引火しやしないか冷や冷やしていたのはわたしだけで、皆そんなことはおかまいなしだ。ブラック・アイド・ピーズの若莢を鍋に入れたら、沸かしておいた湯を一気に注いだ。ジュッと音を立てる。そこへローリエ、「マウンテンジィラ」と呼ぶ乾燥ハーブを手でもみながら加えた。ご飯が炊けたら大きな平皿に盛り、ディルをトッピングする。

マウンテンジィラの「ジィラ」とは、ヒンズー語でクミンを指す。直訳すると「山のクミン」。山で羊が食べていたのを、試しに料理に使ってみたら美味しかったらしい。それ以来、庭でつくり始めたそうだが、香りがクミンに似ているのでそう呼んでいるが、正式な名前はわからない。

このプロフに、ディルを混ぜたヨーグルトと、ノンを付け合わせにして食べる。また床に直置きかと思ったら、座卓テーブルで皆でつつきながら食べるのだった。それにしても、ホシャヤットのつくってくれたプロフには、ひよこ豆も肉も入っていない。

「昔も今も、婚礼や行事でひよこ豆10キログラム、羊70キログラムは使う。プロフはしょっちゅうつくるから、ひよこ豆は毎年自家用に播く。買うと高くつくからね」。ホシャヤットが倉庫で話してくれた。帰り際、通訳のシュフラットがつぶやいた。

「来客に肉のないプロフを出すのは、貧しい証拠」

マウンテンジィラの風味がほのかに漂うプロフと、「お金は要らない」といって受け取らなかったホシャヤットの笑顔が忘れられない。

\中央アジア・欧州編/

キルギス

大量の具材とともにいただく、豆入りピラフ「プロフ」

豆に出会えるのは、いつ？

遊牧民の国として知られるキルギス共和国。肉と乳製品をこよなく愛するキルギスの人々にとって、豆ははたして日常の食べ物なのか、かねてから気になっていた。

首都ビシュケクを出て、キルギス北部のタラスへ向かう途上に「ユルト」という伝統的なテント式住居が見えてきた。願ってもないチャンス。「住人に会いたい」と通訳のナギザに告げると、快く手配してくれた。

家の中は思っていたより広い。布団が人の背丈ほどの高さに積まれ、家具もそれなりにある。家の周囲の壁を取り巻くように、プラスチックのバケツや動物の皮でできた容れ物が雑然と置いてある。

馬乳チーズを加塩して乾燥させた「クルト」

その1つに目が行った。女性の胸くらいの高さの縦長の皮袋に、棒が挿してある。その頑丈な馬皮製の袋には馬乳が入っていて、それを発酵させた馬乳酒「クムズ」をつくって飲むのだという。

家の外には大量の白い俵型の塊が天日干ししてあった。「クルト（馬乳チーズを加塩して乾燥させたもの）」といい、乾燥させて年中食べるそうだ。もちろん馬肉も食べる。ほかに羊の胃袋を自家製バターの容器にもする。この遊牧の民は動物のすべてを食べ切り、使い切る術を心得ているのだった。

ただし……どこを探しても、ない。豆粒1つ見つからない。がっかりしていたらナギザが、「ユルトに住むような、伝統的な生活をするキルギス人は豆をほとんど食べないけれど、一般の人は食べていますよ。これからそういう人たちに会えるから心配しないで」。「よかった」。気を取り直してユルトを後にした。

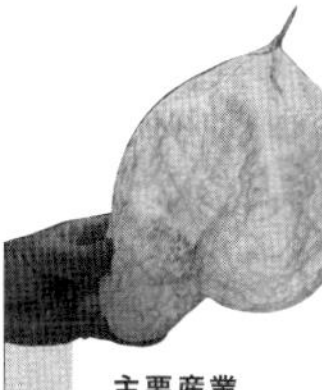

羊の胃袋は
自家製バターの容器に！

基本情報

首都　ビシュケク（Bishkek）

主要産業
農業・畜産業（GDPの約3割）、
鉱業（金採掘）

言語　キルギス語が国語。
（ロシア語は公用語）

通貨　ソム

旅した期間　2017年8月6～12日

訪れた場所
ビシュケク、タラス、
ジャラルアバードなど

出会った豆
アメリカ女豆、ひよこ豆、ささげ
（ブラック・アイド・ピーズ）など

「アメリカ女豆」と子羊の煮込み

タラス郊外にある宿泊先の民家へ向かう。一般家庭を取材したいという私のリクエストに応えて選んでくれた家は、ごく普通の、比較的広い家だった。わたしのために屋外に仮設トイレまで設けての歓待ぶりに頭が下がる。

家は2つあり、姑、息子夫婦それぞれの家かと思いきや、夏用と冬用の家なのだった。冬はマイナス10℃近くまで温度が下がるから、集中暖房のきいた小ぶりな住まいで過ごすのが習わしのようだ。つくりがミニマムなのは、燃料代節約のため。テント式住宅ユルトは冠婚葬祭など、家族が大勢集まる機会に今でも利用されているというから、遊牧民の血は脈々と受け継がれているわけだ。

着くやいなや「この豆を自家用にずっとつくっているの」。宿泊先のマダムが箱に入った豆を持ってきた。見ると鮮やかな真紅の斑模様。こんな金魚柄があったっけ。

日本の「丹波種紅しぼり」そっくりのその豆は、キルギス語で「アメリカ女」と呼ぶらしい。栽培している豆はこれだけで、ストック場所を案内して

上／右が夏用の家、左が冬用の家
下／宿泊先のマダムが見せてくれた「アメリカ女豆」

もらうと、家畜小屋の屋根裏にこんもりと鞘ごと積まれている。でも脱穀すればたかだか10キログラムくらいだろう。やはり遊牧の民は、あまり豆を食べないとみた。この豆を使って夕食をつくってくれた。夏は屋外の台所で調理し、そばにある小上がりの畳2枚ほどの座敷にテーブルが置いてある。調理の準備をしたり、食事もここでとることが多いそうだ。アルミの寸胴鍋にはすでに肉がジュウジュウ、音をたてて炒められていた。

Cooking

「アメリカ女豆」と子羊の煮込み

玉ねぎ、にんにくを植物油で炒めたところに、肉を入れる。次に人参、じゃがいも、トマト、パプリカをさいの目に切り、塩も加えて、さらに炒める。たっぷりの水と、水に浸けておいたアメリカ女豆、トロミ付けの米を入れて、豆がやわらかくなるまで煮る。仕上げに塩で味を整え、ディルをちらしてできあがり。

アメリカ女豆のあの真っ赤な模様は、水に浸けると脱色してグレーがかった薄いピンクになり、まるでうすぼけた老婆のようだ。「水に浸けた豆が残ったら、翌日煮てサラダに入れたり、マッシュしてカツレツに付け合わせたりするわ」とマダム。

豆と肉、野菜たっぷりのとろりとしたトマトスープに、「ノン」と呼ぶ円盤形のパンをひたして食べる。塩だけの味付けが、かえって食材それぞれの美味しさを際立たせている。日本人の口に合う、お腹にたまるスープだった。

ピラフもスープも、豆たっぷり

キルギス南部にある都市ジャラルアバード。ここは隣国のウズベキスタン国境に近いことから、食べ物にもウズベキスタンの影響が見られる地域である。ゲストハウスを経営するルスナ(46歳)の自宅で昼食をとることになっていた。着いたとき目に飛び込んできたのは、屋外の大きなかまどの鍋。なにやら煮込んでいる。トマトやナスなど夏野菜の保存食をつくっている最中だった。冬期は、野菜や果物の価格が夏期の10倍と高騰するので、この時期どの家も大量の保存食を仕込んでおくのだった。地下室や倉庫には、３リットルは入るガラス瓶がゆうに１００個はあったろうか。

家の奥では、昼食の「プロフ」や豆スープの準備が始まっている。プロフ（キルギス語では「パロー」）とは、冠婚葬祭にもふだんの家庭料理でも食べる、キルギス版ピラフだ。彼らの調理は手早いので、一挙手一投足を見ていないと、知らない間に料理ができあがっていたりするから油断できない。

ボウルの中に、水に浸かったひよこ豆とブラック・アイド・ピーズがあった。豆は別々に煮るという。別のボウルには濃いピンク色をした液体があり、なにかを浸けている。「ウズゲンライス」という、ウズベキスタンの赤米だった。ルスナは水がきれいになるまで何度も、この赤米を丁寧に洗う。途中で米粒を見せてくれた。米粒の真ん中に線が入っている。

「この線がウズゲンライスの特徴で、白米よりタンパク質が多くてプロフにとても合うの。これでつくるプロフは最高よ」とルスナ。

「昔、米がないときにはグレチカ（蕎麦の実）でもつくったもんだよ」と、彼女の叔母のムハバット（67歳）も話をしてくれた。

プロフと豆スープの下準備に、ひよこ豆とブラック・アイド・ピーズ、それから乾燥白トウモロコシの実を外して茹でておく。ブラック・アイド・ピーズだけは、茹でたのち水ですすいでいた。渋みやえぐみを除くためなのか、理由は聞けなかった。まず、プロフづくりからスタートした。

Cooking

プロフ（キルギス版ピラフ）

玉ねぎ、黄色い人参を手早くスライスし、冷凍してあった牛肉をひと口大にカットする。1キログラムのウズゲンライスに対して、入れる具材が半端なく多い。

アルミの大鍋に、おたま2杯分ものひまわり油を入れ、そこへ一気に玉ねぎを投入。揚げ煮の要領だ。玉ねぎが黄金色に色付いたら、人参を加える。人参が色付いたら牛肉を加え、さらに炒める。おたま1杯の湯を入れたら米を入れ、さらにまた湯を加える。水分量は、人差し指の第一関節くらいというが少なめ。

最後に、茹でたひよこ豆とブラック・アイド・ピーズ、塩を加えて、蓋をせずそのまま強火で沸々した状態を数分キープし、水気を飛ばす。鍋の底に水分が少し残ったところで、クミンシードを手でもんでから加え、すっぽり全体を覆うように平皿をかぶせて弱火で数分加熱し、できあがり。

プロフのご飯は、ネバつき厳禁。パラパラしていなくてはならない。それには油が決めてとなるのだが今回使ったその量たるや、１カップを超える２５０ミリリットルというから目をむいた。昔は綿実油を使っていたそうだ。次は豆スープ。

Cooking

ひよこ豆とブラック・アイド・ピーズの豆スープ

牛肉と玉ねぎは水から茹でる。熱湯にいきなり入れると、肉が固くなるからだそうだ。次にじゃがいも、調味料（トマトペーストかパプリカペースト）を投入、じゃがいもがやわらかくなったところへ、茹でた豆と白トウモロコシを加え、塩で味を調えて完成。器に盛り、ディルをトッピングする。

ムハバットと彼女の妹ジョルゴイモイは、できたての熱々を、味見のためなのかひと口大にちぎったパンを浸し、スプーンですくって早々に食べていた。つまみ食いがいちばん美味しいのはいわずもがな、だろう。

いよいよ昼食タイム。夏は、屋外にある小上がりの座敷のようなところで食べるので、ふだんのセッティングをお願いした。クロスのかかったテーブルの真ん中に「ノン」が置かれる。キルギス人にとってこのパンは毎食欠かすことができない。ご飯物のプロフがあるときでさえ、パンも食べるのだった。サラダとスープが銘々のお皿に盛られ、メインディッシュのプロフは大皿で出てきた。それを手でつついて食べる……というのが伝統的な食べ方だが、この家族は皆、スプーンを使い西洋式だ。

「男性はご飯をすくい易いように、親指以外の4本の指で、平らにならして食べてもいいけれど、女性はダメなの。ご飯をならさず、3本の指だけで食べなければならない」

料理をつくってくれたルスナはさらに「女性は男性よりたくさん食べてはならない」という。「なぜ？」と尋ねることすらためらわれた。イスラム教の習わしではそういうものだからと、彼女は特段、不満に思う風でもなかったから。たぶん日常生活のあらゆる場面で、こうした男尊女卑はあるのだろうが、イスラム教徒の家に生まれ育ち、もはや不当感すら抱かない。余儀なき日常。「イスラム教徒でなくてよかった」。おくびにも出せないこんなことを、脂のしみたひよこ豆をかみしめながら思うのだった。

上／冬に向けて、夏野菜の保存食を大量に仕込むルスナ　下／ウズゲンライスとひよこ豆のプロフ

キプロス

煮込みやサラダに、莢豆を使いこなす

入国早々、波瀾万丈

キプロス島の旅は、入国からすったもんだの連続だった。誤算はまず、キプロス島が北と南に分断されていたこと。わたしが降り立った空港は北のトルコ領(北キプロス・トルコ共和国)、予約していたホテルは南のギリシャ領(キプロス共和国)だったから、ホテルに行くだけで入国手続きが必要だと知らずに来てしまった。おまけに、コーディネーターを事前に紹介してもらっていたのに、いざ現地に着くと「バカンスシーズンと重なるから、同行できない」と断られる。

なんということだ。コーディネーター不在、予備情報なし。でも6日後には次の国、レバノンに入らねばならない。ここで途方に暮れている場合ではない。

オリーブオイルは
水のように使うのが
当たり前！

基本情報

首都　ニコシア

主要産業
観光業、金融業、海運業

言語　ギリシャ語、トルコ語
（このほか英語が広く用いられる）

通貨
ユーロ（キプロス共和国）／
トルコリラ（北キプロス・トルコ共和国）

旅した期間　2014年8月27～30日

訪れた場所　ニコシアなど

出会った豆
ささげ（ブラック・アイド・ピーズ）、
白いんげん豆、うずら豆、ひよこ豆、
いなご豆など

困ったときはまず、滞在するホテルのマネージャーに相談することにしているのだが、「観光ならともかく、専門的なコーディネートは業務外」とあっさり断られてしまった。

無理もない。

こうなったら奥の手だ。ホテルまで送ってくれたタクシードライバーのアントンが、隣でこの一部始終を聞いていたので、ダメもとで彼に頼んでみた。強い思いは道を拓く。「引き受けましょう」。

そうと決まれば、今からスタートだ。すぐさま価格交渉に入った。彼の希望はガソリン代込み、時間制限なしで1日200ユーロ。これで農家や個人宅での料理のデモンストレーションの手配と、しかも通訳までしてくれるのだから、願ったりかなったりだ。もう進むしかない！

若い莢のフレッシュな豆が好まれる

彼は生まれも育ちも、首都ニコシア。なので幸いなことに、地元に知人が大勢いる。わたしが取材先の希望をあげると、思い当たる人たちに次々と連絡をとっては、連れて行ってくれた。欲をいえば、豆農家をもうあと数軒、欲しかったくらいだろうか。

まず彼の近所に住むという友人、イアナキスの家を訪ねる。母(83歳)と同居している彼は、豆のほかに、自家用ワインのブドウなどをつくっていた。

豆はブラック・アイド・ピーズ。畑で、トウモロコシが植わった間に白い花を咲かせ、若莢がだらりと垂れさがっている。豆のへそがまだ薄茶色でフレッシュだ。キプロスではこの時期、若莢のみならず、若い莢から実をはずして「ファソリア(fasolia)」という煮込みをよくつくる。若い豆は乾燥した豆よりも早く煮えるうえ、炭水化物が少ないので重くない。ほかの人にも、ささげ以外の豆を持っていないか聞いてみると、数種類のいんげん豆が見つかった。

持ち主はエリザベス(74歳)。ささげの一種であるブラック・アイド・ピーズに加え、白いんげん豆2種とうずら豆。どの豆も若い時期に実を取り、冷凍していた。煮込みやサラダにするのだそう。どうやらキプロスでは、保存用の乾燥豆(成熟した豆)よりも、若い莢のフレッシュな豆が好まれているようだ。しかも年中温暖な気候ゆえ、いわゆる煮込み料理といっても、じっくりコトコト煮込むのではないらしい。野菜や若い豆をさっと茹で、レモン汁をかけてさっぱりといただく。キプロスの煮込みはたいてい、こんな感じなのだ。

ドライバーのアントンの母アシナ(73歳)に、夏の豆料理として、この若莢の実の煮込み「ロービー(louvi)」をつくってもらう。また、宿泊先のクリムパレスホテルのシェフにも、冬に食べる乾燥豆のスープ「ファソラーダ（fasolada）」をつくってもらい、プロがつくる洗練された豆料理にもありつけた。

Cooking

ロービー（若莢の実のサラダ風煮込み）

若いささげの実を取り、ズッキーニを加えて煮るだけ。セロリの葉と茎、人参、じゃがいもを加えて煮る。味付けは、オリーブオイル、塩、コショウ。つくり方も、味付けも超シンプル。トマトを付け合わせ、食べる時に、たっぷりレモン汁をかけるのがキプロスならではか。

上／夏の豆料理「ロービー（若莢の実のサラダ風煮込み）」　下／冬に食べる乾燥豆のスープ「ファソラーダ」

Cooking

ファソラーダ（乾燥豆のスープ）

乾燥したひよこ豆に、セロリの葉と茎を入れて煮て、煮豆をつくる（アシナに白いんげん豆サラダをつくってもらった時もこの煮方だった。地中海諸国でよくやる煮方かもしれない）。

トマトのすりおろしとトマトジュースを加えたトマトベースのスープに、煮たひよこ豆、ズッキーニ、玉ねぎ、そして白ワインを加える。鍋で煮てから、さらにコンベクションオーブンで3時間加熱。こうすることでじっくり火が入り味がしみ込む。

地中海の人々は、オリーブオイルをまるで水のように使う。ドライバーのアントンの姉が、大きな瓶に入ったオリーブオイルを見せてくれた。日本でいえば、さながら一升瓶に入った醤油だろうか。もうひとつ地中海料理といえば、レモン汁。アシナは、大量のレモン汁をキューブにして冷凍していた。酸味はレモンというところが、地中海料理の特徴といえそうだ。アシナに聞くと、レモン汁は豆を煮た後、黒く変色するのを防ぐ効果もあるという。知らなかった。

甘味になる「いなご豆」

地中海ならではの豆といえば、いなご豆。イタリアやチュニジアの市場では、黒く乾燥した、平たくて固い莢豆が段ボールではかり売りされていた。ほのかな甘味があり、人々のスナックらしい。かじってみた。日本のねじり菓子を数十倍固くしたような、歯が折れてしまいそうな代物だった。噛むほどにほんのりした甘さが広がり、からだにやさしそうだけれど、チョコレートやケーキなどの強い甘さに慣れた者にとっては、まったく物足りない。

いなご豆の実から抽出したシロップもあり、これは先の莢豆よりもずっと甘い。そしてほのかな苦味が後から来る。砂糖のかわりの甘味料に使うだけでなく、胃腸に良いとされ、トルコでは、風邪をひいたときに湯で薄めて飲むという。南米アルゼンチンでは「パタイ」といって、いなご豆の甘い粉を固めた日本の落雁のような菓子もある。豆が甘味として使われているのは、世界中でもいなご豆だけかもしれない。

いなご豆のシロップ

ルーマニア

NO LARD、NO LIFE!
豚の脂身×豆は、黄金のコンビネーション

豚脂をこよなく愛する、ルーマニアの民

薄暗い食料貯蔵庫。アルミのバケツいっぱいに盛られた、ロウのような白い塊に目を奪われた。これって一体、食べ物なの？

「2年もののラード（豚脂）」。マトリョーシカみたいにコロンとした体躯のテオドーラ（53歳）が、そっけなく答える。2年も保つのか。湿度の高い日本ではまず無理だろう。

ここは、ルーマニア、ブカレストから北西へ300キロのセベシュ・デ・スス（Sebeşu de sus）という町。今でも、越冬前に豚を殺し、塩漬けや干し肉、燻製にしたりして、貯蔵することが多い。脂身を一度加熱して溶かしてから容器で貯蔵するか、天日干しや燻製にして保存食にする。この白い大きな

豆スープにも、
焼いた豚の脂身を
たっぷり入れる。
欠かせないわ

基本情報

首都　ブカレスト

主要産業
サービス業（58.1%）、工業（21.8%）、建設業（6.4%）、農林・水産業（4.1%）（2019年、出典：ルーマニア国家統計局）

言語　ルーマニア語（公用語）、ハンガリー語

通貨　レイ

旅した期間
2018年7月13～21日

訪れた場所
セベシュ・デ・スス、ホスマン、イリンバヴなど

出会った豆
莢豆、白いんげん豆など

塊は、台所や貯蔵庫の片隅にドカンと収められていて、使用頻度の多さを物語っていた。

それにしてもバケツいっぱいの白い塊のインパクトが強すぎて、豆の存在を忘れてしまいそうになる。この大量のラードはいったい全体、どうやって消費するのだろう。豆の取材とともに、このあらたに浮上してきたラードも追うことにした。

ホスマンという町の、若手クリエイターが主催する展示会のビュッフェで、ラードと脂身の洗礼を受ける。まずはバターの代わりにラードをたっぷり、バゲットに塗る。その上に、干すか燻製にした豚の脂身をさいの目に切ってのせ、仕上げにねぎを散らしたものが、オードブルとして供された。ラードに脂身。西欧諸国では忌み嫌われることも多い組み合わせだ。

注目したのは、ラードと切っても切れない豆料理も登場したこと。ラードで玉ねぎや野菜を炒めたのち、肉や豆を加えた煮込み料理なども出ていた。かつて訪れた中南米でもラードを使う場面をよく見たが、かなり僻地の、しかも年配者が好むものとして限られ、彼らですら健康を考えて控えることも多い。この脂身×豆という黄金のコンビネーションを、老いも若きも今でも常食にしている国は、もしかするとルーマニアだけかもしれない。のっけからそんなことを思った。

脂身入り莢豆スープ「チョルバ・デ・レグメ」

コーディネーターのガビが次に連れて行ってくれたのは、イリンバヴ。ガビの住むホスマンから11キロ、車で10分ほど離れた場所だった。

ショートカットのアナ（69歳）が黄色い莢豆をポキポキ半分に折って、大きなホーロー鍋いっぱいになるまで放りこんでいた。えらくぶっきらぼうな口ぶりだが、さっぱりした印象。余計な気遣いが無用な雰囲気で聞き取りがしやすい。

上／テオドーラの貯蔵庫にあった2年もののラード。貯蔵庫にはほかにも豚肉のラード漬け、キャベツの漬物など種類豊富　下／クリエイターのイベントでビュッフェに出てきた、豚の脂身。パンに塗ったものもあった

アナが、これから料理する食材を見せてくれた。ルーマニアのスープには、具だくさんのスープ「チョルバ」と、具の少ないお澄まし風スープ「スパ」の2種類があり、今回は「チョルバ・デ・レグメ」。莢豆と野菜たっぷりの具だくさんスープだ。ちなみにアナの母は、乾燥した莢豆を使っていたそうだ。山形県最上地方の「漆野いんげん」を思い出した。紙袋にストックしていた乾燥した莢豆をガサゴソ出してきて、煮込みに使うとおばあが話してたっけ。

Cooking

チョルバ・デ・レグメ（**莢豆と野菜の具だくさんスープ**）

莢豆、玉ねぎ、人参、トマト、セロリ、枝ごとのタイム、パトロジェル（イタリアンパセリ）を使う。調味料は塩、コショウ、パプリカペースト。寸胴のホーロー鍋にこれらを放り込み、ぐつぐつ煮る。

ここで豚の脂身登場。拍子切りした200グラムはあろう脂身を、別の鍋でジリジリと焼き始めた。脂が溶けたら小麦粉を投入、軽く炒めて、スープの汁を加え混ぜる。粉っぽさがなくなったところで、煮えている野菜スープの中に一気に加える。小麦粉でトロミをつけるところがポイント。

「豆料理には、タイムを必ず入れるんだよ」。枝ごと束ねてドサッと鍋に入れるところが彼女らしい。

味見して思った。豚の脂身があっさりした野菜スープに間違いなく、独特の旨味をもたらしている。

上／「チョルバ・デ・レグメ」をつくる　下／豚の脂身を焼き付け、小麦粉でとろみをつけてスープに投入。旨味を加えた迫力のある味

美味しい。植物油では出せない迫力のある味だ。

ほかにも、やはりチョルバのコクと旨味を出すのに、「スモークした脂身を細かく切り刻み、加熱してラードにして入れて混ぜる」といっていた人もいた。彼女は一度焼いた塊肉をラードで埋め尽くし、肉を保存するという。

ルーマニア版フムス「ファソレ・バトゥータ」

白いんげん豆を使った「ファソレ・バトゥータ（別名：フレカッタ）」を食べに、ガビの友人マリア（72歳）を訪ねる。「ファソレ（fasole）」とはいんげん豆を指し、ルーマニアでは「ファソレにするなら、白いんげん豆」といっても過言でないくらい、この豆が好まれる。理由はよくわからないが、いんげん豆の中でも白を好むのは、東ヨーロッパだけでなく西ヨーロッパでも同様だ。ただし、ここルーマニアでは西ヨーロッパや中東とは異なり、豚脂がしっかり豆の脇役に徹して、料理の美味しさを引き立てるのだった。これが脂身でなく、もも肉などほかの部位だったら、この主従関係は逆転する。

スカーフをかぶったマリアは物静かなおばあさんだった。隣に小太りの寡黙な夫マラリウが、椅子に腰かけている。よどんだ眼をして覇気がない。「マラリウは患っているの」といっていた。心の病かも。彼に漂うどんよりした曇り空のように重たい空気が、そう感じさせるのだった。

古ぼけた家の庭先で、放し飼いにしている鶏が草をついばんでいた。母屋とは別のバラック小屋のようなところに台所があり、床には地面に直接、何枚ものビニールシートが敷いてある。そのせいか、歩くたびに靴底が沈む。

台所の赤いバケツの中には、茶色、白色、黒色のいんげん豆が入っていた。自給用の豆だそうで、白いんげん豆が9割を占めている。小ぶりな白花豆。北海道の在来種「中生白花豆」と見た目が同じだ。

ガス台にかかった鍋の中には、白いんげん豆がすでに煮てある。昆虫の抜け殻みたいに透明な豆の皮が浮いている。

Cooking

ファソレ・バトゥータ（白いんげん豆のディップ）

煮えた豆は、マッシャーでつぶしておく。フライパンにラードをたっぷり入れ、にんにくを片手で持ち、ペティナイフの刃を自分の方向に向けながら、縦横に切り込みを入れて器用にみじん切りにする。まな板は使わない。パラパラと刻まれたにんにくがフライパンに落ちる。

ラードが溶けたところで、パプリカパウダー、チリパウダーを投入、にんにくの香りが立ったら、マッシュしたペースト状の豆を流し込む。ジュッ！　豆と脂の奏でる音が食欲をそそる。仕上げに塩で味を調えできあがり。

このドロリとした豆ディップは、パンや「ママリガ」につけて食べる。ママリガとはルーマニアの郷土食で、コーンミール（トウモロコシの粗挽き粉）を湯や牛乳などで練り上げたもの。主食として食べ、これには「ブリンザ」というフレッシュチーズが欠かせない。

「子供の頃、残って固くなったママリガは、細かく切って豚の脂で炒めて食べたね」。マリアはぼそっと、かつての遠い記憶をつなぐように語ってくれた。

ほかにも、ある農家では、朝食にどんぶり2杯はあろう熱々のママリガを、豪快に頬張るおじいさん（70代）もいた。すりおろしたブリンザをふりかけのようにかけ、豚の脂身入りスクランブルエッグを付け合わせる。「ボール状に丸めておき、畑で食べることもある」。なんと、おむすびを頬張る日本の農家とそっくりではないか。

豆と豚脂。まさかルーマニアで、この組み合わせの妙を発見し、味わうことになるとは思いも及ばなかった。カルチャーショックの余韻が冷めやらぬまま、わたしは次なる国の準備に取り掛かるのだった。

上／白いんげん豆のディップ「ファソレ・バトゥータ」をつくるマリア　下／どんぶり２杯ものママリガを食べるおじいさん

＼ 東欧編 ／

ウクライナ

冥土の土産に、青えんどう豆のピロシキ

夏のあっさり豆スープは、キャベツの漬物を具材に

前の訪問国ルーマニアから、ウクライナ西部トランスカペシア(Transcarpathia)州ロマーダ(Hromada)へ移動する。コーディネーターのオルガから連絡がきた。「国境近く、ハルメウという町にレストランがあるから。どこでもいいから入って、そして店の名前を知らせて」。

その辺で待っていて、というけれど国が違うのだぞ、大丈夫なのか。親を待つ子供のように、急に不安になった。わたしのように島国に住む人間と、オルガのように大陸に住む人間とでは、そもそも国境のとらえ方が違うのだろうか。旅はのっけからこんなスタートだった。

店の名前を告げて待つこと数十分、オルガと無事合流。ミュージシャンの夫をもつ彼女は人脈が広

貯蔵庫には毎年仕込む保存食で100瓶を超える。
豚肉のスモーク、ジャム、
野菜スプレッド「アジーカ」など

基本情報

首都 キエフ

主要産業
鉱工業（24.8%）、農林水産業（11.9%）、建設業（2.7%）、卸売・小売・輸送など（23.1%）（2018年：ウクライナ国家統計局）

言語 ウクライナ語（国家語）、そのほかロシア語など

通貨 フリヴニャ（UAH : hryvnia）

旅した期間
2018年7月21～29日

訪れた場所
トランスカペシア、キエフなど

出会った豆
いんげん豆（若莢と豆）、莢豆、青えんどう豆（グリーンスプリットピー）など

く、頭脳明晰、行動派の女性だった。メンバー数人で立ち上げた宿泊施設のオープンを間近に控えるなか、わたしのあらゆる要望を鮮やかにこなしてくれる。彼女の言う通り、ウクライナへの国境越えはなんの問題もなくあっさり、入国。

最初に訪れたトランスカペシア地方の農村には食物貯蔵庫が必ずあって、3リットル位のガラス瓶に保存食が軽く数十個、多い家では100個以上並ぶ。野菜（トマト、きゅうり、パプリカなど）の塩水漬けに酢漬け、リンゴやナシなどの砂糖漬け、カンポットという果物でつくる甘い飲み物、ジャム、酒、肉の塩漬けなど、売るほどある、とはこのことだ。

なかでも野菜の瓶詰めが多いのは、冬季は夏季に比べて野菜の価格が2～3倍に跳ね上がるため、ひと冬分をストックしておくからだという。

その中に莢豆の瓶詰めがあった。やわらかく茹でてから塩水に浸けてガラス瓶に入れ、しっかり煮沸殺菌してから貯蔵する。塩水の塩分濃度は5～8%とそれほど高くないので、使うときは塩抜きしなくてよいそうだ。

ガラス瓶のそばに、4斗樽よりももっと大きな樽があった。キャベツの漬物らしい。オーク材の樽に丸ごと10数個は漬かっているだろうか。

「残り少なくなったら、こうやってガラス瓶に移すの」。端正な顔立ちのレイサが見せてくれた。腐っているんじゃないかと思うくらい汁が白濁してかなり発酵が進んでいる。日本だったら間違いなく廃棄だ。

レイサが、この白濁したキャベツの漬物が入った瓶をかかえて、キッチンへ向かう。瓶に水道水をジャーッと注いだかと思うと、バーテンダーのように大きく上下に振り始めた。これを繰り返すこと2回。「酸味が強いから、料理に使う前にすすぐの」。

西洋式の広いキッチンには、若莢がボールにこんもり盛られている。その横に、みずみずしくふっくらした若い豆が1キログラムはあるだろうか。これを、さっき水ですすいでいたキャベツの漬物と

上／美しき肝っ玉母さん、レイサ。郷土料理も今風の料理も、お酒までつくってしまう料理の達人。貯蔵庫に並ぶ保存食の数に仰天
下／かなり発酵の進んだキャベツの漬物が、意外に豆と合う

あわせて、スープをつくるという。

Cooking

キャベツの漬物

材料は、キャベツ、水、塩だけ。ドイツのザウアークラウトとほぼつくり方は同じで、キャベツが本来持っている菌で発酵させる。キャラウェイシード、赤唐辛子、ローレルなどのスパイスを入れる人もいる。

塩水の塩分濃度は8％前後で、日本の漬物よりもはるかに低塩だ。この塩分で、しかも常温保存でも腐らないのは、湿度の低い国のなせる技か。

Cooking

ミーシャンカ（キャベツの漬物と若いいんげん豆のスープ）

乾燥豆と違って浸水はせず、いきなり若い豆を煮る。10分そこそこでやわらかくなった豆と、水ですすいで酸味がやわらいだキャベツの漬物を鍋に入れ、ひと煮立ちさせる。

フライパンに玉ねぎを炒めておいて塩をし、小麦粉とパプリカパウダーを入れる。スープの汁を少し加えてトロミをつけてから、キャベツと豆の入った鍋に投入。最後に野菜ブイヨン、塩で味を調える。

できあがったスープは器に盛り、万能ねぎを切らずに長いまま数本、スープに添える。長ねぎをかじりながら、スープをすするというわけだ。

なかなかワイルドだが、実際やってみると薬味のねぎがキャベツの酸味を和らげてくれる。上品に切るより味のインパクトが強くて、キャベツの強めの酸味とのバランスがすこぶる良い。具になった若い豆は、でんぷん質がまだそれほどのっていないからか、とても軽い。夏におあつらえ向きの豆スープに仕上がっていた。

これが冬になると長ねぎではなく、茹でたじゃがいものスープになるという。豆とじゃがいも。ずしっとでんぷん質が腹にくる冬のスープになる。

食卓の名脇役「若い豆のパプリカソース炒め」

トランスカペシアを訪れたのは真夏の7月末。わたしが探しているのは保存用の乾燥豆（成熟した豆）だが、乾燥豆を夏は食べないので、この時期の旬である、莢豆や若い豆の料理をつくってもらうことにした。

とはいえ行く先々、デモンストレーションの料理に代り映えはなく、莢豆のスープ、煮込み、炒め物、サラダといった副菜的なラインナップだった。農村での毎日の食卓のなかにある豆料理を聞き歩くのだから、無理もない。こうなったら徹底的に「夏の豆をどう食べるか？」に絞り込もうと腹をくくった。

そんな中、朝食に出てきたのが、これだった。

Cooking

莢豆のパプリカソース炒め

黄色い若莢を煮る。つくりてのレイサは、莢豆を圧力鍋で煮ていた。とにかく、くたくたになるまで煮るのが肝心なのだ。フライパンで玉ねぎを炒め、小麦粉、パプリカパウダーを混ぜる。そこへ煮た莢豆を投入、塩で味を調えて完成。器に盛り、イタリアンパセリをトッピングする。何の変哲もない煮豆ソテーだが、ウクライナの

上／莢豆スープと莢豆炒め　下／莢豆スープと莢豆炒めをいただく。自家製エルダベリーシロップのドリンクで喉を潤す

数軒の家で莢豆の料理をつくってもらったが、仕上げに「玉ねぎ、小麦粉、パプリカパウダー、スメタナ（自家製サワークリーム）」は欠かせない。レイサの炒め物も、できあがったらスメタナを添えて食べるのが慣例なのだった。玉ねぎの風味、小麦粉のトロミ、パプリカのコク、スメタナの酸味。フレッシュな豆には、実によく合う組み合わせ。メインの材料を引き立てる名脇役といえるだろう。

葬式に食べる「青えんどう豆のピロシキ」

当初、時期ではないからとあきらめたものの、乾燥豆の料理はやはり気にかかる。せっかく来たのだ、今の時期つくってもらうのは無理でもせめて情報だけでも、と貧乏根性が頭をもたげる。そこで会う人、会う人に尋ねてみることにした。

肉や野菜と乾燥豆を煮込む料理が圧倒的に多いなか、「青えんどう豆（グリーンスプリットピー）のピロシキ」という変わりダネが見つかった。しかも葬式に食べる料理。スクープだった。

最初にこの話を聞いたのは、キエフのコーディネーターのユリア（30代・女性）。「そういえば68歳の祖母が、〝青えんどう豆のピロシキ〟をお葬式につくったといっていたわ」。

よし、ならばターゲットは70代。聞き歩きを始めると……出てきた。葬式に食べる青えんどう豆のピロシキが。つくり方は、だいたいこんな感じだ。

Cooking

幻の青えんどう豆のピロシキ

青えんどう豆は皮を取って挽き割りしたものを使う。豆を煮てマッシュしたら、炒めておいた玉ねぎを加えて、塩、コショウで味付け。これを具材にする。

生地を小麦粉でつくり、具材の豆を中に詰め、俵型に成形してオーブンで焼く。豆ペーストにポピーシードペーストを混ぜる人、焼き上がったらつぶしたにんにくをトッピングする人など、レシピ多数。人の数だけバリエーションあり。

皆一様に「青えんどう豆でこしらえた」といっていたから、昔、葬式に肉は禁忌だったのか。まるで日本の黒飯《こくはん》みたいだ（黒大豆や黒豆を入れたおこわで仏事に食べる。「黒豆おこわ」「御霊おこわ」と呼ぶ地域もある）。冥途の土産に、青えんどう豆。日本とウクライナが豆でつながる不思議な共通点を見い出した一品だった。

＼アジア編／

中国

発酵調味料からスナックまで、とことん豆を使い、食べる術を学ぶ

大豆の原産地のひとつ、中国東北部の台所事情

わたしの野生種の豆とのファーストコンタクトは、大豆の原種であるツルマメだった。

それは忘れもしない２０１４年4月7日、つくばにある「(独)農業・食品産業技術総合研究機構」を訪れたときのこと。大豆の研究者に連れられて、研究所近くの日当たりのよい草ぼうぼうの茂みの中に「ツルマメ」がたくましく生えているではないか。草生い茂る隙間で、力いっぱい小さな双葉を広げる、その健気な姿にわたしはすっかり心を奪われてしまった。この底なしの生命力は、どこから来るのだろう。

大豆の原産地、中国東北部。ツルマメに魅せられたわたしは数年の時を経て、中国有数の大豆生産

えんどう豆のでんぷんを固めた豆腐は薬味と食べる。プルンプルン！

基本情報

首都　北京

主要産業
第一次産業（名目 GDP の 7.7%）、第二次産業（同 37.8%）、第三次産業（同 54.5%）

言語　中国語

通貨　人民元

旅した期間
2014 年 7 月 15 ～ 24 日（東北部）
2017 年 7 月 4 ～ 12 日（雲南省）

訪れた場所
黒竜江省ハルビン、河北省石家荘市、雲南省昆明市、雲南省楚雄市など

出会った豆
大豆、そら豆、リマ豆、小豆、えんどう豆、レンティルなど

地である黒竜江省、ハルビンを目指していた。ツルマメを見せてくれた大豆研究者がつないでくれた豆のお導きかもしれない。

　案内してくれたのは、中国東北大学農学部の王紹東教授。彼の調査に同行するかたちで取材がスタートした。調査チームは王教授のほかに、彼のアシスタント、王さんのコンサルティング相手で中国東北地域最大の種苗会社代表の李文国社長とその娘、わたし、そしてドライバーの計6名。

　朝から晩まで、大豆、大豆、大豆。豆好きにはたまらない旅となった。連日、朝から晩まで、李さんが栽培を委託する農家や試験農場を訪ねては、生育状況をチェックし、ひたすらサンプルを採集する。わたしの希望を差し挟む余地などあるわけがない。そういう調査の旅であることは最初からわかっていた。文句など言える立場ではない。でもせっかく来たのに、手ぶらで帰るわけにはいかない。そんなせめぎあいに業を煮やし始めていた時のことだ。李さんの友人や親戚らしき農家で昼食をとるというから、そのときに1品でもいいから、豆料理をつくってもらえないだろうか。図々しくも李さんにお願いしてみた。

「いいよ」二つ返事で承諾してくれた。ありがたい！　寡黙ながら李社長、

店で食事をとるときは豆料理を必ず注文してくれたり、一般家庭でわたしのリクエストを調整してくれたりと、実に懐の深い方であった。

中国東北部は寒く、冬はマイナス30℃を下回る日もあるという。だから暖房もかねて台所には大きなかまどがあるのだが、その横に大豆の豆殻が山のように積んである。焚き付けにするのだという。小型の電気コンロもあったがあまり使われず、かまどに備え付けた直径60センチはあろう中華鍋で、豪快に料理をこしらえるのだった。

訪れた季節は7月、真夏だ。中国では夏に乾燥豆を食べる習慣はどうやらなく、この時期に豆料理のリクエストは、やや無理があった。出てきたのは「リマ豆の若莢とじゃがいもの醤油炒め」、それと

上／李社長の知り合いの農家でお昼ご飯をいただく　下／屋台で食べた、押し延べ豆腐のクミン醤油がけ

もう一品。木綿豆腐を平らに薄く延ばした「押し延べ豆腐」だ。春巻きの皮を厚くしたような20センチ四方の豆腐に、醤（ジャン）という自家製味噌を塗って、ねぎやきゅうりなどお好みの具材を挟み、クルクル巻いて食べる。ほかにもこの豆腐を、ピーマンなどの野菜と炒めたものなど、庶民の食卓によく登場していた。屋台ではこの豆腐の串焼きに醤油と、なんとクミンをかけて食べていた。焦がし醤油の香ばしさとクミンの風味がぶつかることなく、重層的な味を醸している。想像を超えた、初めて食べる美味しさだった。

メインディッシュは骨付き羊肉の甘醤油煮と水餃子、それからキャベツと肉のスープ。付け合わせとして、半分に切った茹で卵が丼いっぱいと、きゅうりと万能ねぎが切らずに丸ごと、ドカンと洗面器に盛ってある。すべて大振り、大皿盛りなので、白いご飯を盛り付けたお茶碗がやたら小さく見えた。そういえばどの農家も、ご飯はどんぶりではなく小ぶりなお茶碗に盛られていた。

自家製味噌「醤」をつくる

李さんの姉、張彬さん宅での昼食後、押し延べ豆腐に塗っていた自家製味噌「醤」を見せてもらうことにした。家の裏の広い敷地に、子供がすっぽり入りそうな大きな甕がずらりと60個ほど並んでいる。上に白い木綿の布がかけられ、ピンクの紐と白いろうそくが載せてある。なにか意味がありそうだ。直射日光がガンガン当たっていて、冷暗所で熟成させる日本の味噌とは対照的だった。

上／自家製味噌「醤」の甕が並ぶ庭　下／「醤」は自然に浮遊する菌で発酵させる

甕を開けた瞬間、熟成した味噌のいい香りが漂ってきた。中は茶色いドロッとした液体。これが醤？日本の味噌とは明らかに違う。つくり方を聞いてみたら、ざっとこんな感じだ。

Cooking

醤（自家製味噌）

大豆10キログラムに対して塩5キログラム。大豆をやわらかく煮て、塩を混ぜる。これを味噌玉にして、天日干しする。カビが付いて、カチカチに固まったら砕く。そこへ水1キログラムを加え、甕に入れて保存。4カ月で完成。

米や麦などの麹を使わない、自然界に浮遊する菌だけで発酵させる豆味噌だった。

韓国チェジュ島でお世話になった研究者の母上（70代）や、岩手県岩泉町の元農家（80代）の台所にあった、8年ものの味噌と同じ製法だ。それらはアンモニア臭が鼻をつき相当発酵が進んでいたが、つくり手である岩手の元農家は「この味噌でつくる味噌汁がうまいんだ」と自慢げに語っていた。水分が抜けて八丁味噌のように黒ずんだ色でしかも固く、なめてみるとえらく塩辛い。保存のため、昔は塩分を強くして仕込んでいたのだろう。米や麦がとれない地域ならではの、やむにやまれぬ製法だったのかもしれないが、自然の菌で発酵させるという人間の知恵には、ただただ感服する。

野生種の小豆に、万国共通のたくましさを感じる

王教授の紹介で、石家荘農林研究所の小豆研究者、田静さんに会うために、河北省石家荘市へ発った。研究所で保管している豆のほかにも、田さんが個人的にコレクションしている小豆の野生種が封筒のなかで眠っていた。赤い小豆はひとつもない。濃いグレー、グレーの斑、焦げ茶、焦げ茶の斑、黄土色、どれも色が濃い。日本の在来小豆である「ダニ小豆」「むすめきたか」に瓜二つの豆もある。

その中に一見、小豆と見紛うものがあった。でも微妙に違う。へそが外へ長く突き出している。小豆の近縁種で「ライスビーン（ricebean）」「竹小豆」「バカアズキ」とも呼ばれる、ツルアズキ（蔓小豆）だった。

これは、福岡県みやま市で赤そら豆を取材したときに聞いた「バカソ」ではないか！　話を聞いた70代の女性は「高速道路のフェンスに蔓を巻いて実っていたのを、収穫して食べた」という驚きのエピソードを語ってくれた。味は？　と聞くと、「ウチコミ」と一言。この地方の方言らしいが、同行してくれた地元の40代女性も聞いたことがないらしく、首をかしげていた。要は「独特な味」「ちょっとえぐい」という意味らしい。

以前、北海道の十勝農業試験場が所有する在来小豆を見せてもらった時も、グレーや濃い群青色、くすんだ橙色、茶、黄土色など、田さんの野生種の小豆ととても似たラインナップだった。

「野生種の色が濃いのは、生き延びるための自衛手段なんです。黒色のアントシアニン色素には抗菌作用があるので、自然界の菌や病気から身を守るため、自家採種を続けていくと、淡い明るい色の栽培種でもだんだん濃い色に変わっていきます」と興味深い説明をしてくれた。そういえば岩手県の岩泉町で見た白小豆も自家採種を数十年続けると、黄土色の白小豆になっていたのを思い出す。

田さんにひとしきり小豆のことを聞いていたら、時刻は正午をまわっていた。

「研究所の食堂に行ってみる？　中国式の定食だけど」。中国の大学や研究所の食堂では、いわゆる家庭料理が出るので必見、というか必食だ。

１００人は軽く入りそうな広い食堂では、各自トレーに定食メニューを載せていく。ご飯、もやしなどの野菜炒め、野菜の漬物風、魚か肉、まんじゅうなど4～5品。わたしは水が欲しかったので、ミネラルウォーターを頼むが「ない」。しょうがない、「普通の飲料水でもかまわない」といったがそれも、ない。その代わりに「これを飲め」と指を差す。大きな容器に、お茶みたいな黒色と赤茶色の液体が入っている。おたまですくうと、底の方から豆が出てきた。黒色は黒大豆、赤茶色は小豆。なんと液体の正体は煮汁なのだった。煮汁に透明感があるから、さっと茹でただけのものだろう。飲むと豆の香りがする。それを皆、お椀に注いですすって飲むのだった。この日は仕方なしに煮汁で我慢したが、わたしはとにかく水が飲みたかった。

中国ではほんとうに、飲料水に泣かされた。中国人の家庭でも飲食店でも、ミネラルウォーターすらないのだ(外国人相手の飲食店を除く)。地方の飲食店で、わたしはしびれを切らして水が欲しいと懇願

上／小豆研究者、田静さんの家の朝食。豆乳製造器で毎朝、豆乳を飲む　下／研究所で飲料水代わりにとすすめられた、小豆の煮汁

したら、なんと今度は白湯が出てきた。

10日間の大豆調査で、中国人と寝食を共にしてわかった。中国人はどうも冷たい水を飲む習慣がないのではなかろうか。からだを冷やすから？　真相不明。ようやく帰りの空港で、10日ぶりにキンキンに冷えたミネラルウォーターを口にした。冷たい水が体に染み渡る。生き返った気分。水がこれほど美味しいと感じたことはなかった。

中国雲南省は、そら豆の地域

中国南部の雲南省は、国内でも少数民族が多い地域だ。きっと彼らの暮らしにそった豆の食べ方があるはずと期待していたところ、少数民族ならではというわけではないものの、豆のおやつがたくさんあって、炒ったり寄せにしたり、実にバラエティ豊富であった。

政府職員で、今回のコーディネーターを引き受けてくれたへ・ユフアの事前情報によると、昆明市周辺はそら豆の産地として知られ、その加工品も多いという。まずはいつものように市場リサーチとして、昆明の街を見て歩くことにした。街並みがノスタルジックで、高層ビルが立ち並ぶ上海などの大都市とは、まったく違う顔を持つ。20～30年タイムスリップしたような感覚だ。

そんなことを考えながら歩いていると、大きな釜の前でユフアの足が止まった。直径60センチはある大きな鉄釜の下は、ごうごうと音をたてて薪の火が燃えている。熾火になっているのかとても熱い。

木製の蓋の下でなにやらバチバチはじける音がする。そら豆を炒っているのだった。しかも大量の塩を混ぜて。炒り上がったらふるいにかけて、塩を落として完成。

塩を混ぜるのは、熱い釜の面が直接、豆に当たらないようにするためだった。そういえばボリビアのチチカカ湖でも、豪快に素焼きの釜に砂を入れてそら豆を炒っていたっけ。この時のそら豆はとても大きな粒だったが、昆明のそら豆は１・５センチくらいと小粒だ。日本の在来豆である宮崎県都城市の赤そら豆や、沖縄のそら豆麹の原料である小ぶりな在来そら豆を思い出した。

創業から12年経つという炒り豆店「四河王小苓」の店主、楊永生（ヤン・ヨンシェン）につくり方を聞いてみた。

「うちは甘草を入れた水で1晩豆を浸ける。甘味をちょっとつけるためさ」。マメ科植物の甘草は生薬でもあるし、砂糖を使わないところは店オリジナルか。できたてのそら豆をひと口いただくと、ほんのり塩味が付いているので、塩水に浸けているにちがいない。

1日の製造は３００キロというから、機械ならともかくこの釜で、しかも人の手で炒るのだから、とてつもない労力だ。なのに1キログラム当たりたったの2～3ドル（日本円で３００円くらい）、安すぎる。でも中国の製造業の勤め人の平均月給が５００ドルと考えれば、日本で月給25万円の会社員がこのそら豆を買うなら1キログラム1、０００円という計算になる。なるほど、そう考えるとそこまで安くはない。でも薪火で手づくりのことを考えると、やはり安いくらいだ。

「良品のそら豆はこうやって製品にするし、B品は豆板醤の製造メーカーに売る。そら豆の皮は、人工マッシュルームの原料に使うし、それに使えないクズ豆は家畜の餌さ。1キログラム1元（約20セント）ちょっとだから、捨てるよりはずっといい」。そら豆を使い切るその商魂、見習うべし。

自生する菌で仕込む、そら豆の豆板醤

そら豆行脚は続く。炒り豆の次は豆板醤だった。ユファアが、口コミで人気の豆板醤の加工場を探し当ててくれた。ここも手づくりで、しかも自生する菌で仕込んでいるという。民家が見えてきた。人気の豆板醤は、ごく普通の家で製造されているのだった。

上／そら豆は甘草と塩で味を含ませ、塩と一緒に炒っておやつに食べる　下／炒り豆店の店主、楊永生さん

つくり手のザオ・ウェン・フアさんが、家の前で待ってくれていた。伝統的な製造をしているというので年配者かと思いきや、50代とおぼしきはつらつとした女性だった。17歳からつくっているというから、経験豊富な熟練者だ。代々つくり継がれてきた製法を今もなお踏襲している。

地下の加工場を見せてもらう。大きな甕に入った製造中の豆板醤が、軽く４００〜５００個は並んでいる。壮観だ。年間製造量は20トンで、１キログラム４ドルはすべて直販するその販売力もすごい。

１年で製造分を完売できるとすると、年間８０、０００ドルの売り上げ。これを日本円に置き換えると年商４、０００万円くらいに匹敵する（昆明市郊外の物価や月給を、日本の１／４として計算した場合）。多額の設備や人件費がかかっているわけでもなさそうなので、コストパフォーマンスはかなり良いとみた。たとえ製造した年に完売できなくとも、発酵食品なので商品価値は下がらないはずだ。すっかりお金に気を取られてしまったが、加工場の要所ともいうべき場所に案内してもらう。

棚に並んだ大きな平たい竹ざるに、そら豆が広げてある。よく見ると豆のまわりに黄緑の胞子がフサフサと産毛のように生えていて、白い綿あめのように豆を包む。命の息吹を感じる幻想的な世界がそこにあるのだった。

そら豆を水に浸けてから平ざるにあけ、専用の薦《こも》をかぶせて5〜7日置くと、空気中の菌が豆に付く。「名前はわからないけれど、この黄緑と白い菌に覆われればいいのだと、代々教えられてきた」ザオさんはいう。

上／人気の豆板醤のつくり手、ザオ・ウェン・フアさん　下／そら豆からつくる豆板醤の菌付け

菌がおおむね全体を覆うように広がったら、次は、カラカラに天日干しして水分を抜く。ビニール袋に入れて、仕込み時期の10月まで保存する。仕込みの時期がきたら、保管しておいたそら豆に水を加え、3日間浸けてやわらかくする。唐辛子、八角、フェンネルほかスパイスの粉を加え、最低1年置く。できあがったら保存のため、空気に触れないように植物油を浸かるくらいまで注ぎ、完成。

地方や農村では、今でも豆板醤は自家製で、手前味噌ならぬ手前豆板醤なのだが、最近は手づくり派が減ってきているので、ザオさんの商売も右肩上がりだという。彼女のような本物を知る人たちが、こうして製造代行してくれれば、本物の豆板醤とその味は残っていくだろう。当の本人には、その継承者としての自負も責任もあまり感じていないのに拍子抜けするものの、単なる売り買いを超えて、伝統食の継承に一役を担っているのは間違いない。

えんどう豆の豆腐づくり

昆明市から西へ約１７０キロ、楚雄市へ向かう。ここはイ族自治州である。後ろで髪の毛を束ねた恰幅の良い女性ヤンさん（58歳）が、料理のデモンストレーションをしてくれることになっていた。彼女には「今住んでいる新しい家ではなく、１９８７年に建てたレンガづくりの古い家で、料理を教えてほしい」とリクエストしたので、昔ながらの台所が見られるとワクワクしていた。

直径60センチはある大きな鉄釜が備え付けてある、白いタイルでつくられた台所だった。火力は薪だが、ＩＨコンロとガスコンロもあった。

ヤンさんは、バケツを2個持ってきた。黄色い液体が入っている。挽き割りえんどう豆を水に浸けたものだった。これから「えんどう豆の豆腐をつくる」というが、えんどう豆で豆腐ができるのか。初めてのことに胸が高鳴る。

Cooking

挽き割りえんどう豆の豆腐

挽き割りえんどう豆5キログラムを、水20キログラムに浸けた後、石臼でドロドロにすりつぶす。水を混ぜてすりつぶした後、下に沈殿する黄色い塊は、別のバケツに入れておく。これは、えんどう豆の澱粉で豆腐の固さ調整に使う。

黄色い液体を、一気に大きな鉄釜にどぼどぼと入れ、薪の火にかけ、大きなおたまでかき回しはじめた。みるみるうちにトロミがついてくる。まるで大量のくず練りだ。重たいのかかき混ぜるスピードが落ちてきたところで、別の女性に選手交代。

固まりすぎたのか、今度は熱湯を注ぎ粘度を緩める。またかき混ぜる。この繰り返しを15分くらい続けただろうか。最後に塩をふり、トロトロのクリーム色のドロリとしたポタージュ状の液体を大きなタライに移し、外へ持っていったかと思うと、扇風機にあてはじめた。早く冷ますためだ。


材料はえんどう豆と水、塩だけ。大豆の豆腐と違い、にがりなどの凝固剤は不要。えんどう豆のでんぷん質だけで固める豆腐だった。固まったえんどう豆の豆腐は、切り分けて、醤油、酢、ラー油、ねぎ、生姜などの薬味をかけて食べる。こんにゃくとも、ところてんとも、もちろん大豆でつくる豆腐とも違う食感と味だ。日本の「ごま豆腐」や「寄せ物」が近いだろうか。口触りなめらかで、辛い薬味が食欲をそそる。が、えんどう豆の豆腐に驚いている場合ではなかった。矢継ぎ早に、別の豆でつくる豆腐の話が出てきた。レンティルでこしらえる豆腐があるというのだ。

「これから行こう」とユフア。向かった先は町の屋台だった。軒を連ねて、現地ならではのローカルフードを売っている。その中で、こんにゃくのような、プルンとした固まりを焼いている女性がいた。「これだよ、レンティル豆腐」とユファが指した。ゆべしを焼いたような、プルンとした食感。さらにこんにゃく色のくず練りみたいなものも持ってきた。「これもレンティル」とユファ。

やはり焼きレンティル豆腐も、レンティル練りも、ねぎや生姜などの薬味をたっぷりのせ、ラー油、醤油をかけて食べる。こうした薬味の使い方は、雲南省ではどこもほぼ同じで、屋台、飲食店などいたるところで見かけた。

中国人もこの「プルン」とした食感が好きなのだなあと、日本人との共通点をこんなところで感じて、中国への親近感をさらに深めたストリートフードなのだった。

上／えんどう豆豆腐の製造途中。豆と水、塩だけでつくる　下／レンティル豆腐の焦げ目が醤油との相性抜群

＼アジア編／

ミャンマー

納豆の国で、遠軽町の在来いんげん豆「ビルマ」のルーツを探る

在来いんげん豆「ビルマ（バカ豆）」が発端の旅

わたしの故郷、北海道遠軽町の近郊で長きにわたり親しまれ、今なお栽培される在来豆がある。いんげん豆「ビルマ」だ。ミャンマー（旧ビルマ）がルーツとされ、別名「バカ豆」とも呼ばれる。劣悪な環境でもしぶとく育ち、そしてバカみたいに量がとれるので、この名がついたのだそうだ。でも考えてみれば生物としてはえらく優秀なのに、失礼なネーミングだと常々思う。

「小豆は売りに出して、ビルマは小豆代わりに〝いなきびご飯〟に入れて食べたね」。この豆をこよなく愛し、遠軽町で農家を60年以上続けた、故服部ツルさんのことばが今も胸に残る。

「母が生前、ビルマ豆の入ったご飯が好きだったから、命日に炊いてお供えしようと思って」と、こ

日本の囲炉裏のような
パオ族のかまど

基本情報

首都 ネーピードー
主要産業 農業、天然ガス、製造業
言語 ミャンマー語
通貨 チャット
訪れた場所
ヤンゴン、シャン州ポンスイピン、シャン州タウンジーなど

旅した期間
2013年7月12～16日
2015年7月29～8月5日

出会った豆
大豆、うずら豆（ペーピェン）、いんげん豆（ペーピュイン、ページィコエなど）、タケアズキ（ペイジィン）、ペニカ、ペーピャリィなど

の豆を求めて来店された方もいるくらい、人々の生活に溶け込んできた。
であらば……と、「ビルマ」のルーツを求めて八方手を尽くしたが、さしたる情報は得られず。それでも調べを進めるうちに、ミャンマーが知られざる豆食の国であることがわかってきた。

最初にミャンマーで受けた豆の洗礼は、お茶請けにする「アジョゾン」だった。ピーナッツ、そら豆、えんどう豆、ひよこ豆など、いろいろな豆を揚げたもので、少々油っこい塩気の効いた味が癖になる。これをさらに、半年から1年じっくり発酵させた〝食べる〟茶葉「ラペソー」と合わせた一品（ラペットゥ）もあって、お茶請けだけでなく、ご飯のおともとしても親しまれている。

立ち寄った地方の食堂で、店主が大盛りのご飯にラペットゥを混ぜ、野菜のおかずとともにスプーンでごっそり口に運ぶのを見たとき、〝食べること〟の原点を見せつけられた、印象深い豆ご飯なのである。

ご飯のおかずにスープに、ミャンマーの納豆「ペポ」

ミャンマーで、日本人に馴染みのあるご飯のおともを発見した。納豆だ。見つけたのは、シャン州タウンジーから車で1時間のポンスイピン村にある、パオ族の家だった。

料理のデモンストレーションをしてもらうと、アルミ缶から茶色い煎餅のようなものを取り出し、かまどの火で炙り始めた。香ばしい匂いがする。やがてそれを臼（チョンソン）と杵（チュウ）に投入、唐辛子とにんにくを加えて、叩いていく。そして熱くした鉄の中華鍋に、おたま一杯ほどの油を入れたかと思うと、先ほどの茶色い煎餅を叩いたものとトマトを投入、炒め煮する。ジュッと食欲をそそる音を響かせてしばし加熱、最後に「ベンセイ」というバジルの類のハーブを加えて、塩で味付けしてできあがり。

なんだったのだろう、あの茶色い煎餅は……と一口試食。この味、納豆だ！　食べてみてようやく、その正体が納豆であることが判明した。日本の納豆も乾燥させて炒めたら、こういう味になるのだろうか。

ミャンマーでは、この乾燥した煎餅状の納豆を「ペポ」と呼ぶ。ペは豆、ポは臭いという意味で、つまりは「臭い豆」。言い得て妙だ。そしてパオ族がつくるペポは、「ボー・ペポ」、シャン族がつくるペポは「シャン・ペポ」と、それぞれの民族名を冠するらしい。家の主ウトウンさん（51歳）につくり方を聞いた。

Cooking

ペポ（ミャンマーの納豆）

大豆を煮る。湯を切ってから専用の竹かごに入れ、ビニールを被せて陽のあたる場所で3日間置く。その後、粘りがでてきたら発酵がうまくいった証拠。潰して成形する。

煎餅状にするときは、潰してからビニールに挟んで薄くのし、カラカラになるまで天日干しして完成。1回につくる量は3キログラムほど。アルミ缶に入れれば1年くらい保管できる。

原料の大豆を見せてもらうと、ほかで見たミャンマーの在来大豆と同じく小粒で扁平な楕円形をしている。沖縄石垣島の在来大豆「クモーマミ（小浜大豆）」にもよく似ている。

気になったのは発酵の方法だ。「納豆菌（枯草菌）を加えなくていいの？」と疑問に思ったが、彼らは自然に放置しておくだけで、竹かごについている菌で発酵が進むらしい。日本のつくり方とはだいぶ違う。ペポ料理はまだ続く。

Cooking

ペポスープ（納豆と発芽いんげん豆のスープ）

煎餅状の納豆ペポをかまどの火で炙り、砕いて炒めたら、大量のすりおろしにんにく、トマトを加えて炒める。水を足し、発芽させたいんげん豆、長ネギを加えて煮ること数分。塩で味付けする。

おっと、見落としていた、鍋のそばにあったひげのある豆！「赤中長うずら」らしき若い実で、もやしのように3〜4センチほどの芽が出ている。食べるとポリポリと枝豆のような味がする。別の家でも、ビニール袋入りのひげの生えたうずら豆を見たのだが、横には豆の皮が散らかっている。皮をとって煮るのだそうで、食感を損ねるからなのか、消化に悪いからなのか、とにかく一粒ずつ皮を丁寧に剥くのだといっていた。そういえばヤンゴンの露店でも、塩ゆでした発芽えんどう豆を、スナックとして売っていたっけ。

炙ったペポのスモーキーな風味と、大量のにんにくが炸裂する、スパイシー納豆スープをいただく。熱々のご飯に炒めたペポをのせ、青唐辛子をかじり、スープをすする。辛い、熱い、匂う、でも美味

上／パオ族の納豆「ボー・ペポ」。使う時はかまどの火で炙る。煎餅状、丸型があった　下／発芽させた赤中長うずら。一粒一粒、丁寧に豆の皮を剥いていた。ミャンマーに限らず豆の皮はとても嫌われる

しい。大量のご飯を食べてしまうこのスパイラル、とても危険だ。

村ではペポはほぼ自家製と聞いたので、近所に住むパオ族のナンパさん（47歳）にも、つくり方を聞いてみることにした。見せてくれたのは、煎餅状ではなくピンポン玉みたいなペポだった。煮た大豆を布で包んで2日置く。粘ってきたら3日間天日干しして完成。調理は、炙って潰して油で炒め、ご飯にかけて食べる。調理に使う油はかなり控えめで、できあがりの匂いといい見た目といい、日本の豆味噌だった。

次にパオ族のマウェさん（45歳）に聞いてみると、煎餅状にする仕込み方はナンパさんとほぼ同じ。ただし保存などを考えてか、1回の量が1キログラム（2〜3人分）と少なかった。マウェさんと料理の話で盛り上がる。

パオ族食事風景。おかずやスープは皆でシェアし、ご飯にかけて手で食べる。ご飯の量は、女性でも軽くどんぶり一杯はあった

「タマリンドって知っているかい？」とマウェさん。なんとミャンマーではジュースだけではなく料理にも使うのだった。タマリンド料理か、初めてだ。即座に料理のデモンストレーションをお願いする。「じゃあ明日、来るかい？」、即決。そうと決まれば話は早い。遠足前夜の子供のように、タマリンドを思いながら眠りについた。

マメ科植物、タマリンド料理を初体験

タマリンドとはマメ科の高木で、その酸味と甘みがある果肉は、インドや東南アジアではドリンクや料理に広く使われている。

翌日喜び勇んで行くと、タマリンドの実が水に浸かっていた。よく見ると、虫の食った小さな穴が空いている。横には昨日、杵と臼で叩いてこしらえていた自家製の米粉があった。マウェさんが、小粒のにんにく10片をすりおろし始めた。その量たるやまるで大根おろしだ。それをタマリンドにぶっかけて塩を振る。量からしてまさに「ぶっかけ」だ。これからつくる天ぷらのタレなのだそうだ。

今度はマウェさん、ハヤトウリの若葉と茎らしき青菜を、自家製米粉を水で溶いた衣にくぐらせて油で揚げる。ミャンマーの農村では天ぷらに小麦粉は使わず、自家製の米粉を使う。農村では、米粉といえど、自家製が基本らしい。

揚げたてを、先ほどのにんにく入りタマリンドのタレでいただく。美味しい。でも、タマリンドの

甘酸っぱさと、にんにく風味全開のタレは鼻血が出そうなくらい刺激が強かった。

マウェさんはさらに、タマリンドスープもつくってくれた。

Cooking

タマリンドスープ

水に浸けたタマリンドと、大量のすりおろしにんにくを火にかける。数分後、ぐらぐらひと煮立ちさせたら、塩を入れて火を止め、スープのできあがり。

タマリンドのもつ酸味と甘味、そして大量のにんにくのパンチがきいた、まず日本では味わえないコクのあるエキゾチックなスープだった。

豆の導きか!?「ビルマ」らしき豆に出会う

ミャンマー滞在の最終日に、タウンジーの市場を歩く。諦めていた北海道の「ビルマ」がもしやあるかもという、小さな期待を胸に秘めて。

量り売りされている豆たちに目を凝らす。「ペーピェン（細長いうずら豆）」「ペニカ（濃い赤い豆）」「ペーピュイン（赤いんげん豆）」「ページィコエ（へそが赤いえんどう豆）」「ペーピャリィ（もち米といっしょに炊く、小豆のような豆）」「ペイジィン（タケアズキ）」……、種類が多すぎて頭が朦朧としてきた。通訳のハンさんはそんなわたしにおかまいなく、豆の説明を続ける。

「キヨミさん、これはシャン州の在来豆ペトゥンですよ」。「シャン州の在来豆!?」メモをとりつつ現物を見る。あっ！　思わず叫んでしまった。

遠軽町のものよりひとまわり大きいが、「ビルマ」の先祖ここにあり！　でも、へその周囲が黒い。いんげん豆ではなく、ささげか？　ハンさんに尋ねたが頭をかしげる。

「今後、ペトゥンについて調べる!」、メモ帳に気合を入れてしたためる。豆のお導きがありますように。心新たにミャンマーを後にした。

上／マウェさんがつくってくれた「タマリンドスープ」　下／自家製米粉の衣をつけた天ぷらに使うタレ。大量のにんにくでお腹をこわしそうだ

アジア編

台湾

念願の生命豆「フォナ」の祭りと食を体験

2015年、「生命豆祭」の存在を知る

舞台と思しき屋外のセットの前にはレッドカーペットが敷かれ、開演前の準備なのだろうか、赤、朱、青、黒、黄緑色のビビッドなコスチューム姿の人たちが忙しなく動き回っている。ハリウッドやカンヌに引けを取らない華やかさだ。でもここは台湾の山の中。3年越しの阿里山だ。そう、今わたしは念願の「生命豆祭」の会場にいる。

さかのぼること3年前の2015年7月、台湾の先住民の豆食が知りたくて、台北に降り立った。事前に、台湾人のフードライターとやりとりはしていたものの、あてのない訪問は効率が悪い。そんな中、人づてに高橋真梨子さんという女性に巡り合う。彼女から「阿里山に先住民が代々つくり続けている〝生命豆〟という豆があるようです」とのビッグニュースを入手する。いてもたってもいられない。翌日、すぐさま高橋さんと阿里山行きを決行すべく新幹線のチケットを入手する。まずは阿里山役場での情報収集からスタート。

「生命豆について調べているのだけれど、この豆について知っている人か、栽培している人を紹介してもらえないでしょうか？」。単刀直入に切り出した。

「ああ〝フォナ〟ね。それなら私が持っているわよ」。なんという急展開。「見たい？　持ってくるから待ってて」。

名刺大のチェック袋の中に、10粒ほどの豆粒が見える。クリームと黒色の偏斑紋柄に、ウルトラマ

上／2015年7月初めて目にしたフォナ（生命豆）。偏斑紋柄のフジマメを見るのも、このときが初めて　下／阿里山役場のサヨコさん。フォナ豆の持ち主として、大事にタネをつないでいた

いろいろな豆をつくってきたけれど、
特別な食べ方はしない。
野生のイノシシ肉などと一緒に
煮ることが多いね

基本情報

主要都市　台北、台中、高雄

主要産業
電子・電気、化学品、
鉄鋼金属、機械

言語　中国語、台湾語、客家語など

通貨　新台湾ドル

旅した期間
2015年7月15～20日
2018年10月26～11月1日

訪れた場所　台北、阿里山など

出会った豆
フォナ（生命豆）、リマ豆、大豆、
小豆、ささげなど

ンの角のようなものがある。フジマメだ！　日本では「千石豆」とも呼ばれ、若莢を食べる地域はあるが、乾物の豆はまず店には並ばない。

「ツォウ族は、フォナ（生命豆）と呼んでいます。稗や粟がとれない年でもこの豆だけは凶作を免れる、強靭な生命力をもつ豆として、昔、主食にしていたくらいなんです」

ツォウ族の派手な朱色の半被を着たサヨコさんが、自分の子供の話をするように誇らしげに語りだす。さらに「毎年10月には、この生命豆のお祭りがある」。この豆の生命力にあやかり、子孫繁栄を祈願する合同結婚式も同時開催されるという、たいへん賑々しいお祭りなのだそうだ。また必ずここに来よう。そう決めた。

帰り際、サヨコさんが裏庭でつくっているフォナを拝見。20センチほどの背丈のフォナの葉は、いんげん豆の葉とよく似ている。開花はまだ先だが、もう少ししたら紫色の可憐な花を咲かせるそうだ。

3年越しで実現、「生命豆祭」の地へ

２０１８年10月27日、わたしは再び阿里山の地にいた。普段は静寂な山が、

今日は地元客で埋め尽くされている。テントを張った屋台には、見たことのない食べ物がずらりと並び、民族衣装を身にまとった売り子たちは客引きトークに余念がない。台北や嘉義の屋台とはずいぶん違う、とすっかりおのぼりさん気分で辺りを見回していた。

豆を探すがなかなか見つからない。先住民はあまり豆を食べないとは聞いていたが、本当にその通りだ。やっと阿里山のささげ（若莢）の束を発見。たぶんこの辺の在来とおぼしく、莢に斑模様がある。

さらにプラスティックの容器に目をやると、ん？　大豆？　売っていたおばさんに聞くと、「そう、タケノコと大豆を砂糖と醤油で煮たものだよ」。

次に「蝶豆花愛玉」と書かれた、薄紫の花の蕾に目が行く。「蝶豆」ならばバタフライピーン、リマ豆だ！　ではこれはその花の蕾なのか。愛玉《アイユイ》とはゼリーのことで、リマ豆の花の蕾のゼリーらしい。売り子に聞くとやはり、蕾を煮だした液をゼリーにするのだという。先住民は豆の花をも食料や生薬にするのかと、たまげてしまった。実際わたしもつくってみたい衝動にかられるも、蕾は日持ちしない。泣く泣く断念した。

屋台をうろついているうちに、祭りはクライマックスを迎えようとしていた。
合同結婚式だ。民族衣装を身にまとった若い男女が10組1列に座っている。その後、1組ずつ舞台中央に出てきて、観客にお辞儀をして挨拶する。最後にこれから夫婦になる誓いの証なのか、抱き合い、恥ずかしがりながらキスを交わしていた。そんな結婚式も終わり、肝心かなめの生命豆の儀式はいつなのかと、主催者に尋ねると「朝一番に終わったよ」。なんということだ。せっかくここまで来たのに見ないで帰るのか。いてもたってもいられず、コーディネーターの高橋さんに儀式の場所だけでもいいから見たいと陳情した。

　そこは相撲の土俵のミニチュアのように、直径2メートルくらいの縄で囲ってある場所だった。フォナが落ちていないか目を皿のようにして探す。あった！

　3年前に訪れた時、サヨコさんが見せてくれたのと同じ、ベージュに黒の偏斑紋柄のフジマメが土にまみれて数粒落ちていた。せめて儀式の残骸だけでも、と思い、生命豆を数粒、大事に持ち帰ることにした。

合同結婚式の様子。毎年10組ほどが民族衣装に身を包み、式を挙げる

フォナ（生命豆）の料理を実食

生命豆祭の翌日、阿里山生まれ阿里山育ちのツォウ族、ゆみさんの料理デモンストレーションが待っていた。フォナ（生命豆）のスープだ。生命豆祭の時に大量につくり、親戚や近所にふるまうという。ゆみさんがつないでいるフォナは、阿里山役場のサヨコさんと同じ、黒にクリーム色の柄だった。

Cooking

フォナ（生命豆）のスープ

フォナを煮ておく。これに骨付きいのしし肉と、生姜のスライス、干ししいたけを入れて煮る。味付けは塩のみ。

フォナは煮ると豆全体が黒くなり、残念ながら生豆の時の鮮やかなコントラストは消えてしまう。いのしし肉の臭味は生姜で消え、肉からはしっかり出汁がでるので旨味たっぷり豚骨ラーメンのスープみたいで、いうことなし。ツォウ族のホテルのオーナーが、フォナはいのししの脂身と相性がいいと言っていた。

「阿里山の在来ささげがたくさんあるから、炒め物にするわ」、ゆみさんが次の料理をつくり始めた。

Cooking

在来ささげの炒め物

真っ黒な山山椒を乳鉢でつぶし、ささげの若い莢をざくざく切る。フライパンにオリーブ油を熱し、生姜を入れる。先ほどつぶした山山椒と、ささげを加えて炒める。最後に塩をふってできあがり。

先住民の料理にオリーブ油を使うのか、と一瞬首をかしげたが、今はそんなものなのだろうと、あえて突っ込むのは止めにした。

昼食後「すぐ近くで豆を植えているから、見に行く？」とゆみさん。「NO GMO・新美農園」という看板が立っている。新美とは村の名で、家庭菜園というが、軽く50アールはあろう広さ。いっぱしの農家だ。畑では豆の花が咲き、莢が熟している。フォナ、リマ豆、大豆、小豆、豆だけでも自家用で10種類つくっていて、タロイモ、ニガウリなどもあったから、さぞや手入れがたいへんだろう。

向こうのフェンスに見える、つる性植物の黄色い花が気になる。葉の形からしてどう見ても小豆だが、小豆はたしか蔓性ではないはず。小豆は小豆でも東南アジアでよく見るタケアズキ、英名ライスビーンだった。甘くしたり、塩茹でにして食べるというから、食べ方は日本と同じだ。あとで見せてもらった、ゆみさん所有のタケアズキのタネは、赤、薄茶、黄土色が混在していた。ラオスやネパールでもそうだったが、色の違いにあまり頓着しないのか、いろいろな色が混ざった状態で売られてい

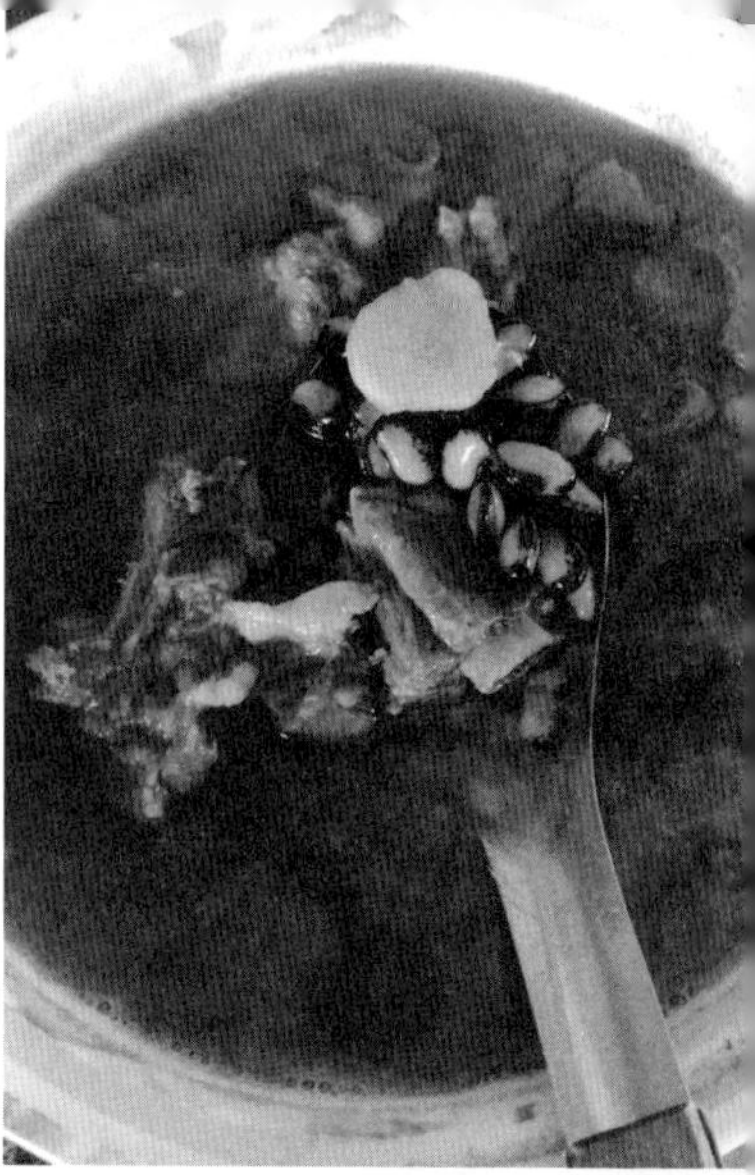

上／「フォナ（生命豆）のスープ」。山山椒のワイルドな香味と生姜風味がきいている　下／若い莢を使った「在来ささげの炒め物」

ることが多い。

畑を見せてもらった後、ゆみさんの実家へお邪魔する。入り口のテーブルに、ツォウ族勇者の証、巨大なイノシシの下顎の骨が鎮座する。父の徳一さん（86歳）、母の佐代子さん（83歳）は、日本統治下時代の名残で（日本名がついているのもそのせいだ）、お二人とも少し日本語ができる。わたしの会社（べにや長谷川商店）で扱っている豆のチラシを見てもらい、この中で知っている豆があるか聞いてみた。

「これと、これと、それからこれも……」と豆を指さす。どうやらかつては、日本の小豆、世界一、貝豆、緑貝豆に似た豆をつくっていたらしい。ただし食べ方は、「特別な料理はない。肉と一緒に煮るのがほとんどだ」とのこと。

ツォウ族に限らず、台湾の先住民は狩猟民族なので肉は欠かせない。ただし肉は肉でも野生の肉と、やせ地でも育つ雑穀（粟、稗、黍など）と、そこに主食を補完する役割で豆を食べる。彼らの主なエネルギー源は、肉と雑穀と豆の３つでまかなわれ、そこに野草やキノコなど山の幸が加わる豊かな食卓であることが、取材の中でわかってきたのだった。

ささげ入り粽、伝統料理の「チナブ」づくり

台湾最終日の前日、パイワン族の頭目の家系をもつ呉榮金さん（67歳）の自宅で、伝統料理「チナブ（先住民のプユマ族では「アバイ」と呼ぶ）」の手ほどきを受けた。

同席してくれた文化人類学者の陳文玲さんの解説によると、チナブとは日本の「粽」のようなもので、結婚式や地元の集会の折に大量につくって振る舞う行事食である。

Cooking

チナブ（ささげ入り粽）

豚肉（本来はいのしし）の脂身の多い部位、干し大根、干しエビ、干したホタテを、醤油と砂糖で味付けする。月桃の葉とルリホウズキの葉を重ねたものが器になる。ここに、もち米と粟、ささげの若い実、先に味付けしておいた具材の順にのせて包み、崩れないようにしっかりひもで縛る。1時間ほど蒸してできあがり。

中華風おこわよりもあっさりしていて、好みだ。少し冷めた方が、栗や豆に脂が染みて美味しい。どうやら、肉の脂身が味の決め手になるようだ。陳さんによれば、もち米と栗のミックスか、赤黍を使うのが一般的だという。

月桃とルリホウズキの葉には抗菌作用があり、香りもいい。日本の粽を包む笹の葉と同じ役割をしているとは、皆、考えることは一緒だ。

台湾を発つ日、前日に露店で買った粽を開けてみた。月桃の葉に包まれていて、もち米と黒米、ピーナッツが混ざっている。ひと口食べるとほんのり甘い。昨日のチナブよりもずっと日本人好みだ。台湾人もやはり甘い粽が好きなんだ。

アジアはひとつ。この期に及んで「粽に見るアジアの普遍性」なんてことを考えてしまい、出発の時間が近いというのに、しばし感慨にふけるのだった。

脂たっぷり、中華風粽のような「チナブ」をつくる。ささげ入り

おわりに

長い苦行が終わった。

本書の執筆にあたり、それに先駆けて資料の読み直しと整理が必要だった。約10年分の膨大な取材ノート類と文献、メモ、そして撮りためた写真やビデオとの、まさに格闘の日々。コロナ禍で引きこもっていた時間が多いとはいえ、店（べにや長谷川商店）の仕事と両輪のこの作業は、わたしにとって、「苦行」以外のなにものでもなかった。今、その全てから解放されて「せいせいした！」というのが正直な実感だ。

さらに白状すると、当初「豆くう人々」を訪ねる旅には、大きなテーマや目的があったわけではなかった。取材の発端は折しも、２０１３年に上梓した『べにや長谷川商店の豆料理　海外編』（ＰＡＲＣＯ出版）の企画がもちあがった頃、そのリサーチも兼ねて出かけた旅がきっかけだった。

「世界の豆」と「その豆料理」がただ知りたくて、まずポルトガルの叔母の家で現地料理を教わり、その足で何のアポイントメントも下調べもなく、いんげん豆の総本山であるボリビアを訪れたのが、今思うとすべてのはじまりだったように思う。その後、転がり落ちるように（？）、わたしは壮大な豆の世界へと見事にハマっていく。

「関係性の作物」。世界各地、地域地域で脈々とつくり継がれる在来豆をひとことで言うと、このことばに集約される。

畑に播かれ、育まれ、そして日常生活に欠かせない食べ物としてしっかり根付いてきた豆たち。さらに、最初の持ち主から親戚や知人たちの手にわたり、人の手から手へとタネが受け継がれてその土地の在来豆になってゆく。人と豆が織りなす円環の中で数々の物語が生まれ、人に寄り添うようにつくり継がれる一方で、人知れず消えていく。

さらに在来豆を売り買いするにあたっては、収量が少ない、品質の均一さに欠ける、栽培の手間がかかるなどと揶揄《やゆ》され、大量生産・大量消費の場面では見向きもされない。あってもなくても「どうでもいい」、そんな扱いを受ける在来豆の運命は、不遇で幸薄いかもしれない。

でもそんな人々の思惑をよそに、タネ蒔く人、そして豆くう人がいる限り、豆はその強靭な生命力で数世代、数十年にもわたって、生き残り、タネ継ぐ人たちの暮らしを支え、生き物としての使命を全うする。こうした豆と人との愛ある円環がある限り、在来豆は生き続ける。そう、愛ある関係性の中で生き続けるのだ。

本書の完成は、ほんとうに数えきれない人々の協力なくしては語れない。

日本での取材準備に尽力くださったみなさま。見ず知らずの部外者にもかかわらず、快く取材に応じてくださったことには、なんとお礼を申し上げてよいやら。感謝の気持ちでいっぱいだ。

　そして小競り合いを繰り返し、わたしの容赦ないダメ出しにもめげずに伴走してくれた現地コーディネーターたち。わたしの長期不在の間、店をしっかりフォローしてくれた、べにや長谷川商店スタッフ。彼らへの感謝のことばは「筆舌に尽くしがたし」、である。

　本書の企画から構想、そして的確なアドバイスと鮮やかなハンドリングで完成へ導いてくれた農文協プロダクションの阿久津若菜さん、誠にありがとうございました。

　最後に、ずけずけと人の家に上がり込み、根掘り葉掘り質問するかと思えば、かまどや台所を片っ端から漁っては、逐一調味料や食材の説明をせがむわたしに、穏やかに答えてくれ、まるで家族のように迎え入れてくれた、世界各国のみなさま。そのとびきりのホスピタリティは一生忘れない。ほんとうに、ありがとう。みなさまの愛情あふれる、心のこもった豆料理と数々のエピソードは、その滋味深い味わいとともに、わたしの記憶にずっと刻印されることだろう。

　「豆くう人々」の旅は、今もって終わらない。まだ見ぬ豆とその味を求めて、すでに心は世界の僻地をうろついている。

２０２１年11月　（未だコロナ禍に揺れる日本にて）　長谷川清美

巻末付録1　訪問国一覧

訪問年	国　名
2012年	ポルトガル、ボリビア、**ペルー**（p.39）
2013年	アメリカ、**メキシコ**（p.18）、**コロンビア**（p.10）、グアテマラ、ニカラグア、エルサルバドル **ミャンマー**（p.248）、マレーシア、マラウィ、ケニヤ、**タンザニア**（p.118）、ルワンダ、**エチオピア**（p.125）、スペイン、イタリア、ドイツ、イギリス、**ナイジェリア**（p.135）、**ブルキナファソ**（p142）
2014年	**中国**（p.232）、**メキシコ**、**ブラジル**（p.30）、**コロンビア**、**トルコ**（p.158）、イラン、**レバノン**（p.166）、**キプロス**（p.210）、スーダン、イタリア
2015年	**台湾**（p.257）、ラオス、**ミャンマー**、イタリア、セルビア、ボリビア、**パラグアイ**（p.47）、**ブラジル**、**チリ**（p.55）、**ペルー**、**コロンビア**、**ベネズエラ**（p.63）、アラブ首長国連邦
2016年	**ウクライナ**（p.224）、**キューバ**（p.73）、**メキシコ**、**エクアドル**（p.90）、**コロンビア**、**アルゼンチン**（p.82）、コンゴ、カメルーン、ベニン、**オマーン**（p.173）、**アゼルバイジャン**（p.179）、インド
2017年	韓国、**中国**、ネパール、ブータン、インド、**ウズベキスタン**（p.187）、**キルギス**（p.201）、ニジェール、フランス、アメリカ、**コロンビア**、**エクアドル**
2018年	**ルーマニア**（p.216）、**ウクライナ**、**チュニジア**（p.151）、**エチオピア**、ガーナ、スペイン、**コスタリカ**（p.98）、**ホンジュラス**（p.107）、**ペルー**、アメリカ、**台湾**
2019年	ドイツ、モザンビーク、ジンバブエ、南アフリカ、オーストラリア、ラオス、タイ、アメリカ

※太字は本文中で取り上げた訪問国。（　）内のページ数は初出のみ入れた

巻末付録２　豆の分類図（主なもの）

科	属	種	日本での代表的な流通銘柄など
マメ科（Fabaceae）	ササゲ属（Vigna）	アズキ（V. angularis）	小豆、大納言、白小豆
		ササゲ（V. unguiculata）	ささげ、ブラックアイ、黒アズキ
		リョクトウ（V. radiata）	緑豆
		ケツルアズキ（V. mungo）	ブラックマッペ
		ツルアズキ（V. umbellata）	赤竹小豆、雑竹小豆
		バンバラマメ（V. subterranea）	
	インゲンマメ属（Phaseolus）	インゲンマメ（P. vulgaris）	（白色系）手亡、白金時豆、大福豆、グレートノーザン、ネイビー、カンネリーニ （着色系・単色）金時豆、レッドキドニー、ブラックタートル （着色系・斑紋入り・普斑）うずら豆、クランベリー、ピント、カリオカ （着色系・斑紋入り・偏斑）虎豆
		ベニバナインゲン（P. coccineus）	白花豆、紫花豆
		ライマメ（P. lunatus）	バタービーン、ベビーライマ、ラージライマ、サルタニピア
		テパリービーン（P. acutifolius）	
	ダイズ属（Glycine）	ダイズ（G. max）	大豆（黄大豆）、青大豆、黒大豆
	フジマメ属（Lablab）	フジマメ（L. purpureus）	
	ナタマメ属（Canavalia）	ナタマメ（C. gladiata）	
	シカクマメ属（Psophocarpus）	シカクマメ（P. tetragonolobus）	
	マクロティロマ属（Macrotyloma）	ゼオカルパマメ（M. geocarpum）	
	ラッカセイ属（Arachis）	ラッカセイ（A. hypogaea）	バージニア型（大粒種）、スパニッシュ型、バレンシア型、サウスイースト・ランナー型（小粒種）
	ソラマメ属（Vicia）	ソラマメ（V. faba）	寧波蚕豆、青海蚕豆、張家口蚕豆（大粒種）、ホースビーン（チックビーン）（小粒種）
	エンドウ属（Pisum）	エンドウ（P. sativum）	青えんどう（マローファット、グリーン）、赤えんどう（レッドマローファット、メープル）、白えんどう（トラッパー）
	ヒラマメ属（Lens）	ヒラマメ（レンズマメ）（L. culinaris）	ブラウン、レッド、ル・ピュイ（フレンチ・グリーン）
	レリンソウ属（Lathyrus）	ガラスマメ（L. sativus）	
	ヒヨコマメ属（Cicer）	ヒヨコマメ（C. arietinum）	カブリ（大粒種）、デシ（小粒種）
	ハナウチワマメ属（Lupinus）	シロバナルーピン（L. albus）	
		アオバナルーピン（L. angustifolius）	

出典：（公財）日本豆類協会サイト「豆の分類（https://www.mame.or.jp/syurui/bunrui.html）、『新・豆類百科』（（公財）日本豆類協会）より改変

プロフィール

長谷川清美（はせがわ・きよみ）

有限会社べにやビス代表。北海道・遠軽の老舗豆専門店、べにや長谷川商店の長女として生まれる。北海道をはじめとする全国、そして海外の在来豆と郷土料理を広く知ってもらうことをテーマに、その普及の一貫として、マルシェなどでの販売のみならず、料理教室も定期的に運営する。在来豆に関する執筆、講演活動のほか、イベントや海外ツアーも催す。著書に『べにや長谷川商店の豆料理』（PARCO出版）、『べにや長谷川商店の豆図鑑』（自由国民社）などがある。

撮影（カバー人物、本文） 著者

撮影（カバー豆、口絵） 奥山淳志

ブックデザイン 農文協プロダクション

豆くう人々 — 世界の豆探訪記

2021年12月15日 第1刷発行

著 者 長谷川 清美

発行所 一般社団法人 農山漁村文化協会
〒107-8668 東京都港区赤坂7-6-1
電話 03（3585）1142（営業） 03（3585）1144（編集）
FAX 03（3585）3668 振替 00120-3-144478
URL https://www.ruralnet.or.jp/

ISBN978-4-540-21107-2
〈検印廃止〉

編集・製作／（株）農文協プロダクション
印刷・製本／（株）東京印書館
定価はカバーに表示。